단편소설집

너울들

단편소설집

너울들

이제이

안도현

조예은

BOOKK

차례

서문

너울이란 먼바다 한가운데서 생겨나 해안까지 이른 파랑입니다. 해변 가까이에서 바람이 만들어낸 파도와는 다르게 그 파장도, 주기도 길며 움직임도 거대하지요.

마음 안에서 큰 너울이 일었던 사람들의 이야기를 썼습니다. 누군가를 잃은 슬픔에서 시작된 파랑입니다. 너울의 자국이 남아 있어 그들은 그 자국을 하나씩 세어봅니다. 그 자국을 셈하며, 너울이 지나가 허물어지고 엉클어진 자리를 더듬어봅니다.

그리고 그들은 다시 일어납니다. 얕은 물가에서 헤엄치

거나, 등을 펴고 해안가를 조금씩 걸어보지요. 그런 사람들의 이야기가 실린 단편집입니다.

단편을 쓴 세 사람은 글쓰기 모임에서 만났습니다. 아그레아블 커뮤니티의 '글 쓰는 수요일'에서 3년 여의 시간을 함께 쓰고, 쓰기에 관해 이야기했습니다. 그리고 그 시간의 결과물로 이 책을 내놓습니다. 이야기를 쓰는 시간이 우리를 채워주었듯, 이야기를 읽는 사람들에게도 좋은 마음이 차오르기를 바랍니다.

이제이

도서관 문화 프로그램 디렉터로, 독서 커뮤니티 기획자로, 소설 창작 클럽 호스트로. 오랜 시간 읽고 쓰며 지내왔다. 글 쓸 때에야 세상이 제대로 돌아간다는 감각이 책상 앞을 떠나지 못하게 한다.

끓어올랐던 신열과 두려움에 관해 주로 쓴다. 글을 통해 삶의 관능을 감각하고 싶다. 뜨거웠던 자리를 담담하게 담아내고 싶다.

메타 라이프

서른아홉 번째 생일을 앞두고, 세나는 오른쪽 눈 위에서 흰색 눈썹을 하나 발견했다. 헤어라인에 새치가 돋아나거나 부쩍 깊어진 눈가 주름을 마주쳤을 때와는 다른 느낌이었다. 여름내 매일 걷던 거리가 가을 초입 온통 단풍으로 물든 것을 불현듯 깨닫게 된 것처럼, 흰색이 눈 위를 조용히 잠식한 풍경을 그녀는 그려볼 수 있었다. 그 상상은 세나를 꽤 심란하게 했고, 동시에 수에 관한 글을 써야겠다고 결심하도록 만들었다.

수는 그녀가 5개월 26일을 만난 남자다. 세나에게는 수가 아닌 다른 연인을 만났던 시간도 있다. 그건 17년 정도이다. 세나는 자기 사랑의 역사를 그렇게 구분한다. 수와의 5개월 26일. 그리고 나머지 이들과의 17년. 수와 함께한 시간이란 스쳐 지나갔다고 할 만큼 짧다. 그럼에도 그녀는 하루도 빠짐없이 수를 떠올리고, 수와의 추억에 잠기고, 연애에 관해 수다를 떨 때면 늘 수를 언급하고, 수가 등장하는 소설을 썼다.

수는 세나의 전 애인이며, 또한 죽은 애인이다. 상윤은 말했다. 그가 죽었기 때문에 네가 그를 떠나지 못하는 것이라고. 상윤의 관자놀이는 이제 눈에 띄게 희끗해졌다. 수와 함께 만났던 시절보다 몸집도 작아진 듯한 인상이다. 세나는 수의 기일에 그와 종종 얼굴을 본다. 그는 이십 대 때나 지금이나 여전히 직설적이다. 그녀는 상윤이 말하는 방식을 좋아한다. 그러나 그가 말한 것에 동의하지 않는다.

차를 타고 가다가 마음에 드는 해변이 나오면 수영을 하기 위해 뛰어드는 수, 백사장에서 그녀의 허리를 감싸안고 춤을 추는 수, 그녀에게 책을 낭독해달라고 부탁하고 귀 기울여 듣는 수. 수가 그런 사람이었기에 세나는 그를 기억한다.

세나는 수가 남긴 장면들이 심상하게 읽힐까 봐 두려웠다. 또한 그 장면이 그의 죽음으로 인하여 특별하게 보일까 봐 초조했다. 그래서 그녀는 소설을 쓸 때마다 가장 아름다운 장면을 고심해 골랐다. 그것을 각기 다른 소설에서, 가장 중요한 자리에, 가장 강렬하게 구현했다.

그중 많은 장면은 수의 차를 타고 바다로 향했던 그날에서 가져왔다. 갑작스럽게 여행을 떠난 그날. 수가 운전하고 세나가 옆에 앉아 그의 수수께끼 같은 눈웃음을 해독하기 위해 애쓴 날 말이다. 오늘 그녀는 그 장면들을 한데에 모아 보기로 한다. 그러니까, 그 하루를 있는 그대로 써 내려가기로 한다. 그녀는 키보드 위에 손을 얹고 한 자 한 자 써 내려간다.

*

– 그 사람들처럼 사진 찍자.

– 뭐?

– 우리도 하자고. 사랑한 흔적을 사진으로 남기는 거.

휴학이 길어지며 부쩍 권태로워하는 세나에게 수는 책 한 권을 선물했다. 침실을 사진으로 찍고 글로 기록한 에세이였다. 특별한 점이 있다면, 그게 섹스 후의 풍경이라는 사실이었다. 널브러진 셔츠, 아무렇게나 벗어 던진 신발, 뒤집어진 속옷….

세나의 말에 수가 웃었다. 그러면서, 더 좋은 카메라를 가져와야 했다며 너스레를 떨었다. 웃을 때 수의 목소리는 낮고 건조했다. 웃음의 농도가 짙지 않았고, 그래서 가벼웠다. 수는 가벼운 웃음을 타고 세나의 질문이나 요청에서 자연스럽게, 또 자유롭게 달아났다. 세나는 그 모습이 투명한 바닷속을 유영하는 열대어처럼 아름답다고 여기며 사랑했다. 그러나 지금은 대답을 듣고 싶었고, 총천연색의 물고기가 도망가지 못하도록 그물을 던졌다.

— 그래서 정말 할 거야?

— 좋아. 하지 뭐. 재밌겠다.

운전하는 수의 눈가에 웃음기가 서려 있었다. 세나는 예쁘게 휘어진 눈꼬리를 살폈다. 그 웃음기 속에 감춰진 것이 없는지를 찬찬히 들여다보았다. 튀는 행동을 싫어하는 수였기에, 세나는 그가 이 대담한 제안을 수락한 것이 의아했다. 그의 얼굴을 아무리 찬찬히 뜯어보아도 세나는 수의 결정에 관한 어떤 원인도 추론해 낼 수 없었다. 세나는 맹렬하게 그를 바라보았다. 그렇게 하면 그의 마음에 닿을 수 있기라도 하듯이. 그는 그저 태평하게 운전을 계속할 뿐이었다. 수가 없는 지금도 세나는 여전히 수라는 수수께끼에 매혹된 채 사로잡혀 있다고 느낀다. 그의 쪽을 바라보고 있다.

— 이 에로틱한 퍼포먼스는 왜 예술적으로 다가오지? 그저 야하게만 느껴질 수도 있잖아.

세나는 수의 대답에 '왜'를 묻지 않고 책 속으로 그 질문을 돌렸다. 캐묻지 않는 것. 그건 두 사람 사이의 암묵적인 룰이었다. 세나도 수를 따라 유영했다. 파도가 없는 깊은 바닷속에서 이리저리 떠돌아다니며 헤엄치는 일은 안온했다. 프랑스 작가니까? 프랑스 문학은 예술이 아닐 수 없지! 그들은 농담했다. 유영 속의 유영. 그들은 수면으로부터 더 깊이 달아났다. 지금 와서 돌이켜보면, 캐묻지 않음은 두 사람 사이에 평화를 가져다주기도 했고, 안전한 긴장감을 만들어주었다. 의식적으로 서로를 미지의 영역에 남겨놓음으로써 계속해 탐색하고 추론하며 그들은 안전한 미스터리를 즐겼다.

— 솔직하잖아.

수가 이번에는 진지하게 답했다.

— 솔직한 것은 모두 예술이 될 수 있어?

— 대부분 예술이 되지.

— 대부분에 속하지 않은 것들은? 예술이 되지 못하고 남는 건 어떤 건데?

수가 다시 대답하려던 참나, 전화가 왔다.

— 어디쯤이야?

스피커폰에서 상윤의 목소리가 흘러나왔다. 그의 목소리에서 활기가 전해졌다.

— 오늘 파도가 좀 약해. 어제가 딱 좋았는데 말이야.

— 형 보러 가는 거지 뭐. 한 삼십 분이면 도착해.

상윤이 오늘 있을 서핑 수업에 관한 수다를 늘어놓는 동안, 복잡한 국도가 끝나고 일순간 시야가 트이며 바다가 나타났다. 그날 해변은 유독 아름다웠다. 하늘과 바다는 누가 더 푸를 수 있는지 서로 경쟁하는 것처럼 보였다. 그들은 말을 잃었고, 상윤의 수다를 배경으로 가볍게 입맞춤했고, 넋을 놓은 채 창밖을 바라보았다. 마치 난생처음 바다를 본다는 듯. 그러다 한적한 해변이 나타났다.

— 형, 네비를 잘못 봤어. 한 시간, 아니 한 시간 반! 이따 봐!

수가 준비된 사람처럼 거짓말을 했다. 그들은 차에서 내려 해변을 달렸다. 드라이브를 하다가 마음 가는 곳에 멈춰

수영하는 것. 그건 두 연인이 가장 좋아하는 일 중 하나였다. 금세 수영복 차림이 된 연인은 물속으로 걸어 들어갔다. 발가락과 종아리에 닿는 물결이 부드럽게 갈라졌다. 뭉근한 수압이 느껴졌다. 너무 투명해서 무게도 없을 것 같았던 바다가 그들을 꽤 세게 포옹했다. 끌어안는 수압을 헤치며 그들은 물결 속을 걸었다. 그러다 발끝이 바닥을 떠나는 느낌. 모래 입자가 발끝을 아스라이 맴돌다 떠나고, 그들은 물의 허공에 떴다. 그렇게 떠오른 채, 인적이 드문 곳까지 헤엄쳐 갔다. 아무도 없는 바다 한가운데로.

해변이 아득해지자 그들은 수영복을 벗어 발목에 단단히 둘러멨다. 그렇게 한동안 수면에 누워 부유했다. 햇볕이 강하게 내리쬐었다. 눈이 아파서 똑바로 뜰 수 없었는데, 그것이 아주 좋았다. 그들은 안락하게 찡그린 채 잔잔한 파도에 몸을 맡겼다. 그러다 물살이 만든 우연이 서로의 몸을 부딪게 하면 몸을 밀착하고, 만지고, 입맞춤했다.

세나는 자신의 첫 단편에 이 풍경을 썼다. 그 작품에서 이 장면은 두 사람의 관계를 설명하는 상징으로 쓰인다. 수와 세나는 세상을 부유하듯 떠다니며 감상했다. 그들 자신조차 감상하며 관조했다. 서로를 살살 어루만지고, 또 세상이 흘러가게 두면서. 아무것도 붙잡지 않았다. 그 시간은 감미로웠다. 세나는 오랫동안 그들이 젊었기에, 또 지극히 사랑했기에, 바다가 너무나 아름다웠기에 그 장면이 감미롭다고 여겼다. 그러나 요즘, 그녀는 그 감미의 출처를 다시 생각해 본다. 그들은 물속에서 흐름을 그저 흘려보냈기에, 부유하며 바라보았기에, 아무것도 붙잡지 않고, 어떤 마음도 먹지 않았기에 감미로웠다.

*

— 워싱턴 파크에서 죽을 뻔했잖아 그때.

상윤이 새 맥주를 들고 와 수에게 건넸다. 상윤은 전보다 그을리고 몸이 단단해져 부쩍 생기 넘쳐 보였다. 한편으로는 주름과 기미가 많이 생겨서 원래 나이보다 겉늙어 보이기도 했다. 시골 햇살 아래 생기있게 늙어가는 것. 상윤을 보면서 세나는 한적한 곳에서 자연스럽게 나이 들어가는 것도 나쁘지 않겠다고 생각했다.

— 지하철 타고 가면 안 된다니까. 거기 노선이 얼마나 위험한데.

— 버스를 놓친 걸 어떻게 해.

— 좀 서두르지. 대책 없어 형도 참.

수가 웃으며 말했다. 시카고에서 대책 없이 지냈던 것처럼, 상윤은 몇 년 전 갑자기 고성으로 내려왔다. 서핑 샵에서 아르바이트를 하다가 정규직으로 강사가 되었다고, 그가 지난번 만났을 때 자랑스레 이야기하던 것을 세나는 기억했다.

상윤이 머리 뒤로 손을 겹쳐 받치며 비치 배드에 누웠다. 하늘을 보고 누운 그는 추억 속에 빠진 눈빛이었다. 수는 선글라스를 쓰고 있어 어떤 얼굴을 하고 있는지 짐작할 수 없었다.

— 그게 벌써 8년 전이네.

수가 말했다. 그는 스무 살의 몇 개월을 시카고에서 보냈다. 그가 장난스럽게 '개츠비 시절'이라고 부르는 아홉 달 가량이었다. 수가 시카고 대학에 입학하며 그의 가족은 수의 입시와 함께 오랜 시간 준비한 이민을 함께했다.

괴짜 천재들로 가득했던 철학과 강의실, 기숙사에서 밤마다 함께 벌인 토론, 천재들에게 뒤처지지 않기 위해 밤새워 공부했던 날들—다만 그 괴짜들도 함께 밤을 새웠기 때문에 그들을 이기기는 쉽지 않았다—이 수에게 있었다. 그리고 방학이면 학교와는 정반대 분위기의 미시간 애비뉴에서 쇼핑하고, 뉴욕에서 친구들과 함께 미술관을 돌아다니며 전시를 보고, 파티를 즐겼다. 개학을 하면 괴짜들로 가득한 도서관에서 다시 책에 파묻혔다.

레겐스타인 도서관 5층은 전체가 동아시아 관련 자료로 가득 차 있었다. 수는 언젠가 향수병이 찾아오면 여기 있는 한국 소설을 읽으며 마음을 달래겠다고 계획했다. 그러나 그의 시카고 시절은 미처 한국을 그리워하기 전 끝나버렸다.

— 세나 씨는 뭐하고 지내요? 그때 뭐 쓴다고 하지 않았나? 책?

상윤이 무심하게 물었다.

— 아, 책 아니고. 소설이요.

— 그럼, 언제 책으로 나와요?

— 글쎄요, 언젠가.

세나는 자신이 준비하고 있는 등단이 어떤 과정인지 설명하고 싶지 않았다. 신문사에 원고를 보내고, 엄격한 심사를 통과하고, 수백 대 일을 뚫어 당선되려고 하는 시도. 그 작품들은 당선되기 전까지 어디에도 발표해서는 안 되었고, 따라서 등단할 때까지 그녀의 책은 나오지 않을 터였다. 상윤이 그저 안부 인사차 그녀의 근황을 묻는다는 걸 알았다. 따라서 구체적으로 답할 필요가 없었다. 그녀는 말을 돌렸다.

– 오빠는 서핑 수업하는 거 어때요?

– 좋죠. 근데 곧 접을 것 같아요.

– 왜요?

– 엄마가 아프셔서 서울로 올라가야 할 것 같거든요.

수가 선글라스를 벗고 상윤을 바라봤다. 상윤은 별일 아니라는 듯 어깨를 으쓱했다.

– 괜찮은 거야?

– 뭐, 너도 알잖아. 전부터 아프셨던 거. 요즘 심해지셨다고 해서. 올라가서 다시 일도 구하고 그럴 것 같아. 몇 년 잘 놀았지 뭐.

상윤은 이제 점심시간이 끝났다며 해안가로 향했다. 서핑 수업을 받기 위해 수강생들이 대기하고 있었다. 상윤이 덤덤하게 말하자 그 일은 그가 툭툭 털고 일어난 모래처럼, 진짜 별것 아닌 듯이 느껴졌다.

상윤과 수는 학교 앞 펍에서 처음 만났다. 상윤은 휴학한 채 그곳에서 서버로 일했고, 수는 그곳의 단골이었다. 두 사람은 거기서 서핑 이야기를 하며 친해졌다. 함께 서핑을 가기로 약속하기도 했다. 그러나 수가 급히 귀국했기 때문에 그 약속은 한국에 돌아온 후에야 지켜졌다.

— 패들링만! 아직 일어서지 마세요!

상윤이 맡은 팀은 이박 삼일로 여행 온 일행이었다. 오늘은 두 번째 날로, 어제 기초적인 부분을 강습받고 오늘은 본격적으로 파도를 타볼 차례였다. 바다에 직접 들어가지 않고 해안가에서 파도를 탈 타이밍만 봐주면 되는 날이라고 상윤이 말했다.

물속에서 세 남자가 파도를 기다렸다. 가장 어려 보이는 남자는 성격이 급해 보였다. 상윤의 큐에 따라 패들링을 시작했으나 다음 큐까지 기다리지 못하고 미리 일어났다. 처음에는 나이가 많은 두 사람 쪽이 어설픈 모양새였지만 나중에 그들은 작은 파도를 잠깐씩 탔다. 가장 어린 남자는 민첩해 보였는데도 급하게 일어서는 바람에 계속해 라이딩에 실패했다. 수가 웃으며 말했다.

— 잘 만났네. 형도 누구 말을 절대 안 듣잖아.

수는 시카고에 있는 동안에도, 또 한국으로 돌아와서도 상윤에게 복학해 학교를 마치라고 설득했다. 그렇게 말한 게 수뿐만은 아니었을 것이다. 상윤은 그토록 어렵게 들어간 학교를 자퇴했고, 한국으로 돌아와 작은 잡지사에서 일하다가 지금 이 서핑 샵에서 강사로 소일하고 있었다. 스스로 학업을 중단한 상윤의 이야기를 할 때면 수는 복잡한 표정이었다. 상윤은 수가 그토록 원했던 것을 아무렇지 않게 내던진 사람이었으니까. 엉덩이에 묻은 모래를 툭툭 털어버리듯.

— 피크에서 일어서야 한다니까!

상윤이 답답해하며 소리쳤다. 바닷속 남자는 여전히 큐보다 일찍 일어났다.

— 거울 치료 받는 중?

세나의 말에 수가 소리 내 웃었다. 낮고 건조한 웃음이었다.

— 형도 참, 어쩌려고 하지. 어머니 병원비가 적지 않을 텐데....

— 그러게 참, 걱정이다.

그래도 알아서 잘하시겠지. 씩씩한 사람이잖아. 세나가 거기까지 말했을 때 수의 얼굴에 그늘이 졌다. 시카고에 관한 기억과 상윤의 어머니의 소식은 수 자신의 가족에 관한 생각을 불러왔을 터였다. 그는 병을 들고 남은 맥주 몇 모금을 들이켰다. 평소 다른 사람들의 일에 말을 아끼는 수였기에, 세나는 그가 꽤 취했다는 것을 알았다.

— 넌 괜찮아, 요즘?

수가 물었다.

— 나?

— 걱정 안 돼?

세나는 파도를 기다리는 세 남자를 바라보았다. 수의 시선을 피하기 위해서였다. 가장 어린 남자가 처음으로 큐에 맞춰 일어났지만 이번에도 금방 넘어지고 말았다. 파도가 막 높아지려다 맥없이 사그라들었기 때문이었다. 이 해안은 서퍼들에게 꽤 유명한 곳이었음에도 파도가 볼품없었다. 사실 한국에는 서핑할 만한 파도가 존재하지 않는다고, 세나는 어디선가 들은 적이 있었다.

— 알아서 잘하고 있지. 씩씩하잖아, 나도.

세나는 선을 그었다. 더 이상 수가 넘어오지 못하도록. 그러면 수는 넘어오지 않았다. 그녀는 수가 그런 남자라는 것을 잘 알았다.

소설을 쓴다는 이유로 휴학을 한 지 일 년이 넘어가고 있었다. 생활을 위해 교정 교열 파트타임 일을 병행했는데, 어쩌다보니 담당 원고가 늘어났고, 종종 고되지만 대체로 평안한 이 일에 젖어가고 있었다. 그녀는 그 단순한 일이 직업이 되지 않을까 생각하는 중이었다. 소설 쓰기는 지지부진했다.

수는 그래, 하고 대답했지만 세나와 눈을 맞추지 않았다. 만약 그가 세나의 상황이었다면 그는 치열하게 목표를 향해 움직였을 것이다. 어떤 상황이든 무엇이 주어지든 몸이 부서지라 일하는 사람이 수였다. 대상포진이나 성대결절, 그런 것을 겪으며 자신이 좋아하지 않지만 해야만 하는 강사일을 치열하게 해냈고, 그는 입시생들 사이에서 빠른 속도로 이름을 알려갔다. 스타 강사까지는 아니었지만, 동년배 강사들과 비교한다면 선두에 서있다고 봐도 무방했다.

— 내가 좀 취했나 보다.

그의 목소리가 다시 평소처럼 돌아왔다. 무거운 저음에서 건조한 저음으로, 한층 가벼워진 톤으로. 그제야 세나는 고개를 돌려 수를 바라보았다. 눈가에 다시 웃음기가 어려 있었다. 아까 상윤이 그녀에게 책 이야기를 꺼내지 않았다면, 수는 세나의 상황에 관해 묻지 않았을 것이다. 수는 세나의 일상에 발을 들이지 않았다. 발끝조차 적시지 않았다. 그들의 대화는 책과 예술과 자연의 아름다움에 머물렀다. 그

건 세나를 쓸쓸하게 만들었지만, 동시에 쾌적했다.

노트북 앞에서 이 글을 쓰고 있는 세나는 생각한다. 그래서 그건 사랑이었을까. 서로의 삶에 들어가지 않는 것은 사랑이라고 불러서는 안 될까. 세나는 수에 관해 아무것도 알지 못했던 것일까. 모른다면 그건 사랑의 자격을 얻을 수 없는 걸까. 해변에 있던 그때의 세나는 다시 책을 집어 들었다.

— 읽어 줄래?

수가 말했다. 책을 낭독하는 것은 연인이 가장 좋아하는 일 중 하나였다. 세나가 목소리를 가다듬었다.

— *우리는 암묵적으로 사진 찍기를 계속했다. 섹스만으로는 부족하다는 듯이 물질적인 표상을 보존해야만 했다. 어떤 것들은 관계 직후에 찍었고, 또 어떤 것들은 다음 날 아침에 찍기도 했다. 그 마지막 순간은 가장 감격스러웠다. 우리의 몸에서 벗겨져 나간 것들은 그들이 쓰러진 장소에서 추락한 자세 그대로 밤을 보냈다. 그것은 이미 멀어진 축제의 허물이었고, 낮에 그것들을 다시 본다는 것은 시간을 체감하는 일이었다.*

책을 쓸 당시 아니 에르노는 항암 치료 중이었다. 머리카락도 체모도 한 올 남지 않은 상태였다. 사진가였던 애인은 그런 그녀를 '인어'라고 부르며 사랑했다.

세나는 책 속에서 읽을 수 있는 에로스와 타나토스에 관해 말했고, 삶 충동 안에 녹아있는 죽음 충동을 설명하려 애썼다. 수는 귀를 기울인 채 고개를 끄덕였지만 그녀의 이야기를 이해하려고 애쓰지 않았다. 관심 없는 것에 귀 기울이고 있을 때 수의 표정을 세나는 좋아했다. 결국 그녀의 관심사에 관심이 없었기 때문에 그 얼굴은 얄밉기도 했으나, 관심 없는 것에 관심을 기울이려는 그 집중이 귀했다.

수가 이 책을 좋아하는 이유는 사진이 좋기 때문이었고 기획된 아이디어가 훌륭했기 때문이라고, 그는 그렇게 말했다. 세나와 수가 좋아하는 것들은 비슷했는데, 그것들에 관해 이야기를 나눠보면 좋아하는 이유가 너무 달라서 전혀 다른 것을 좋아하는 사람들보다 멀게 느껴졌다. 세나는 오늘따라 그 사실이 무겁게 다가왔다.

상윤이 세나의 일상에 노크하자 수가 암묵적인 룰—서로의 생활에 발을 들이지 않는다—을 잠시 넘어섰고, 그건 연인 사이에 미세한 균열을 일으켰다. 그 틈으로 물이 새어들다가, 줄기가 굵어지며 차올랐다. 세나는 그 물의 무게가 마음을 무겁게 누르는 것 같았다.

— 암에 걸리게 된다면, 하자.

세나가 말했다.

— 뭐?

— 사진 찍는 거 말이야. 사랑한 자리를 찍는 거. 나는 캐릭터가 없잖아. 아직 작가도 아니고. 이 프로젝트에는 기획이 없어. 지금은 안 할래.

— 무서운 말을 하네.

무서운 말이라고 했지만, 자주 마음이 변하는 세나를 수는 사랑했다. 적정한 범위 내에서 변덕을 부리는 것. 수는 그것이 관능적이라고 말했다. 다만 그 변덕은 둔각을 그리지 않고 예각을 그려야 해. 지나쳐서는 안 돼. 수는 그렇게 말한 적이 있었고, 세나는 수의 그런 말을 사랑했다.

— 그래 그럼. 너나 내가 암에 걸리게 된다면. 하는 거야.

그렇게 말했던 수는 몇 년 뒤 서핑을 하다가 사고를 당하고, 갑작스럽게 세상에서 사라진다. 그에게는 자신의 삶을 기록할 시간이 허락되지 않는다. '암에 걸리게 되면' 무언가를 하자고 말한다는 것이 오만이고 사치라는 것을 젊은 수는 전혀 모른다. 그는 세나가 좋아하는 장면 속에서 해사하게 웃고 있을 뿐이다. 세나는 이 대화를 가장 최근에 발표

한 단편 속에 실었다.

수는 반대편 해안에서 파도를 타고 싶다며 보드를 들고 일어섰다. 다녀와, 세나는 대답하고, 멀어지는 수의 뒷모습을 한동안 바라보았다.

그녀는 그의 아버지가 한 그 일을 검색해 본 적이 있다. '불법 선물 거래', '자본시장과 금융투자업에 관한 법률 위반', '대여 계좌' 같은 단어가 등장하는 기사였다. 세나가 모르는 세계였다.

그녀가 이해할 수 있는 이야기는 기사의 하단에 있었다. 자살에 관한 이야기. 자살한 사람이 수의 아버지는 아니었다. 어느 부부가 목숨을 끊었다. 아버지의 친구와 그 아내였다. 아버지가 사업에 끌어들인 그들에게는 아들이 하나 있었다. 그 또한 수의 절친한 친구였다고, 언젠가 수가 술에 취해 말한 적이 있었다.

아버지의 사기 혐의로 수의 시카고 시절은 금세 끝났다. 수는 한국에 돌아와 아르바이트를 하며 겨우 졸업했고, 졸업 후에는 바로 취업할 수 있는 학원가로 갔다. 그는 영어를 가르치며 아버지의 빚을 갚았다. 수는 시카고가 그리울 때면 도서관에 가서 그 시절 읽었던 전공 서적을 꺼내보았다.

한국으로 돌아올 때, 쫓기듯 몸만 왔기 때문에 그에게는 전공 서적이 남아 있지 않았다.

수는 몸을 사리지 않고 일했다. 닥치는 대로 강의를 맡았다. 빚을 갚기 위해서이기도 했지만 그는 친구에게 돈을 보내고 있었다. 아버지 때문에 자살한 사람의 아들. 그 아들은 수의 메시지를 받지 않지만 계좌로 입금되는 돈은 받았다.

그런 일들이 수에게 있었다. 십 대 시절부터 전시 오프닝에 초대받고, 용돈으로 작품을 사 모으고, 아티스트와 컬렉터들과 어울리던 시절, 시카고에서 괴짜 천재들과 철학적 토론을 즐기던 시절. 그 시간은 지나갔다. 학부를 졸업하면 그는 미학 대학원에 가려던 계획이 있었다. 수는 계획적인 걸 좋아하는 소년이었다. 하지만 그 계획은 계획으로만 남게 되었고, 그는 유능한 영어 강사가 되었다. 그리고 즉흥적으로 여행 떠나기를 좋아하는 이십 대 후반의 남자가 되었다. 나쁘지 않은 삶이지만 반짝였던 과거에 비하면 마치 아무것도 아닌 것처럼 느껴지는 삶이었다. 그가 철학을 공부했던 건 아홉 달 뿐이었다. 이제 그는 에로스와 타나토스를 잊었고, 굳이 이해하려 들지도 않았다. 그리고 세나는 그의 옆에서 얕은 깊이로 그가 잃은 어떤 것을 감미롭게 읊어주는 사람이었다.

백사장을 걷던 수는 계속 멀어져서 작은 점이 되었다가 수평선 저쪽으로 사라졌다. 몇 년 뒤 세나는 장례식장에서 수의 동생을 만난다. 수와 터울이 꽤 있던 그 여자애는 그때 막 스물둘이었다. 아주 예쁘고 못된 아이였다. 눈이 부어있었으나 그 애는 세나가 장례식장에 머무는 동안 눈물을 보이지 않았고, 세나가 조문하는 내내 그녀를 못 본 척했다. 장례식장에서 나설 때에야 그 애가 세나를 붙잡았다. 그녀는 그 애가 인사를 건넬 줄로만 알았다.

— 오빠가 시카고에서 계속 지낼 수 있었다면 언니 같은 여자를 만나지 않았을 거예요.

세나는 그 애가 아주 슬퍼서, 위악적으로 굴었다고 생각한다.

— 오빠는 언니를 만날 때 아주 슬퍼 보였어요. 언니 같은 여자를 만난다는 게 오빠 인생이 꺾여버렸다는 증거였으니까요.

그렇게 말하고 그 애는 펑펑 울었다. 세나는 아이의 등을 쓸어주었다. 세나는 장례식장에서 울지 않았고, 집에 돌아와서 조금 울었다. 그 말 때문은 아니었다. 그 아이가 말하는 톤이, 수를 너무도 닮아 있어서 울었다.

그런 이야기를 들을 것이라고는 까맣게 모르는 해변의 세나는 까무룩 잠에 들었다. 꿈속에서 열대어 두 마리가 고요한 물속을 노닐었다. 지느러미가 우아하게 하늘거렸다. 그들은 서로 가까이 마주보기도 하고 빙글 돌기도하며 왈츠를 추듯 유영했다. 물속은 너무도 고요해 마치 진공 상태 같았다.

꿈에 빠져 있던 세나는 일순간 한기를 느끼며 눈을 떴다. 바람이 강하게 불어왔다. 파라솔이 쓰러졌다. 파도가 강하게 밀려왔다. 서핑 강습을 받았던 세 사람은 파도를 피해 해안가에 나와 있었다. 노련한 서퍼들만 큰 파도를 탔다. 빗방울이 떨어지기 시작했다. 그때, 저쪽 해안으로부터 무언가 떠내려왔다. 노란색 보드였다. 수의 것이었다. 세나는 수가 향했던 해변으로 달리기 시작했다.

— 수야, 이수야!

그녀는 소리쳐 불렀다. 물론, 오늘은 아니었다. 수가 사고를 당한 날은 후의 일이다. 일 년이 지난 어느 날의 일이다. 그들이 헤어지고 난 후의 일이다. 다른 여름, 수 혼자 서핑을 하다가 생긴 일이다. 이날 수는 죽지 않았다. 그러나 잠에서

게 건넸다. 그는 웃으며 북마크 어딘가를 펼쳐주었다.

— 이번에 이거, 읽어줘.

세나는 그 페이지를 소리 내 읽기 시작했다.

— 나는 그 사람의 몸 안에 무엇이 있나 보려는 듯이, 내 욕망의 무의식적인 원인이 상대방의 몸에 있다는 듯이, 그 사람의 몸을 뒤진다(나는 시간이 무엇인지를 알기 위해 자명종을 분해하는 아이와도 같다). 이 작업은 놀랍고도 냉정한 방식으로 행해진다. 갑작스레 ***더 이상 겁내지 않게 된*** *이상한 곤충 앞에 서 있는 것처럼, 나는 침착하고 주의 깊다. 몸의 몇몇 부분은 특히 이런 관찰에 적합하다. 속눈썹, 손톱, 모근, 부분적인 것들. 그때 내가 사자(死者)를 물신화 하고 있는 중이라는 것은 분명하다.*

세나가 페이지를 덮고 웃었다. 수도 따라 웃었다.

— 그 뒤쪽도 읽어봐. 얼른.

수가 채근했다.

— 나는 그의 얼굴, 그의 몸의 모든 것을 냉정하게 다 보았다. 속눈썹, 엄지발톱, 성긴 눈썹, 얇은 입술, 눈의 광채, 얼굴에 난 점, 담배 피우며 손가락을 펼치는 모양 등. 나는 이 유리 같은 일종의 채색 도기상에 매혹되었다. 그런데 매혹이

란 결국 극단적인 일탈에 지나지 않는다. 나는 그 상에서, 아무것도 이해하지 못하면서 '내 욕망의 원인'을 읽을 수가 있었다.

수는 세나의 낭독에 따라 속눈썹, 엄지발톱, 눈썹, 입술, 얼굴에 난 점, 손가락을 차례로 쓰다듬었다. 세나 또한 그 순서대로 수를 쓰다듬었다.

— 남자랑 처음 잤을 때 남자의 피부가 이토록 부드럽다는 게 신기했어. 그런데 그 후로 같이 잔 모든 남자의 살이 그렇다는 게 더 신기했고. 모든 남자는 촉감이 같아. 모든 남자의 살에서는 같은 냄새가 나. 그들은 모두 한 명이 아닐까? 너도 그러니? 너와 함께 잔 모든 여자가 단 한 사람처럼 느껴지지 않니?

수가 뭐라고 대답했는지 세나는 기억하지 못한다.

— 그런데 왜 너는 이토록 특별할까.

그녀는 그 말을 덧붙이지 않은 것을 후회한다. 수에게 하려던 말은 그거였는데. 세나의 세 번째 소설에 담긴 이 장면에서 세나는 수에게 이야기한다.

— 그런데 왜 너는 이토록 특별할까.

그 후에 연인은 서로가 사랑스러워 견딜 수 없다는 듯이 끌어당기고 입맞춤했다. 세나는 이번에는 그 대사를 덧붙이지 않는다. 세나는 그날 그 이야기를 하지 않았다. 연인은 서로를 끌어안지 않았으며 죽은듯한 평화 속에 누워 있었을 뿐이다. 세나의 소설 속에서 연인은 입맞춤하고 잠에 빠졌다. 그렇게 그 장면은 끝이 났다.

그러나 사실, 또 다른 장면이 있었다. 그날 그들은 곧바로 잠들지 않았다. 아직 밤이 깊지 않아서, 야시장이 열린 백사장으로 산책을 나갔다. 짙은 남색 빛 하늘을 배경으로 갖가지 꼬마전구가 빛났다. 전구의 대열은 천막 지붕의 끝에 매달려 늘어섰다. 온갖 먹거리부터 돌이나 조개껍질로 만든 기념품, 열대어 등을 파는 매대가 펼쳐졌다. 들뜬 아이들이 손가락으로 수조 속 화려한 물고기를 가리키며 엄마를 불렀다. 사람들은 가벼운 옷차림이었고 그만큼 기분도 가벼워 보였다.

연인은 매대를 구경하며 걸었다. 각종 폭죽과 형형색색의 소품들. 걷는 동안 샌들 사이로 모래알이 들어와서 발가락이 간지러웠다. 수가 가죽제품을 파는 가게 앞에서 멈춰섰다. 그러더니 얇은 가죽 팔찌를 샀다. 짙은 갈색에 푸른색 테슬이 달려 있었다. 그가 세나의 팔목에 팔찌를 둘렀다. 그러고 나서 말했다.

— 시카고 이야기를 하고 나면, 지금이 아득해지면서 모든 게 꿈처럼 느껴져. 그게 슬퍼.

— 시카고, 아니면 지금. 어느 쪽이 꿈이야?

— 시카고가 꿈이어야 하는데. 지금이 꿈같아.

그 이야기를 할 때 수는 웃지 않았다.

— 바다에 들어가면 꿈에서 깨는 기분이야. 정신이 번쩍 들잖아.

그가 다시 웃었다. 그리고 세나를 껴안고 왈츠를 추듯 느리게 돌았다. 야시장의 불빛이 아득했다.

세나는 후에 이 장면을 복기하며 생각했다. 수가 바다에서 사라진 것이 사고가 아닌 선택이었다면. 그녀는 그 가능성을 떠올리며 수많은 밤을 홀로 울었다. 식은땀을 흘렸고 소리 내 흐느꼈다. 그러다 그것이 사고이든 선택이든 중요한 것이 아니며, 그가 좋아하는 곳에서 마지막을 맞았다는 사실에 안도했다. 안도하는 쪽을 택했다.

그녀는 이 장면을 지금 이 지점에, 결말부에 배치한 것이 마음에 든다. 또한 이것이 소설의 연장선이 아니라, 실제 이야기임을 밝혀 쓴다는 점도 마음에 든다. 어떤 독자는 이음새가 보이지 않는 매끈한 하나의 이야기를 좋아할 것이다. 예컨대 수와 세나의 하루를 하나의 이야기로 구성한 그런 소설 말이다. 세나가 쓰는 소설이나, 장면에 관한 이야기, 수의 죽음을 미리 언급하지 않고 자연스럽게 흘러가는 그런 서사 말이다. 그것이 더 매끈하고, 자연스러우며, 완성도 있다고 생각할 것이다.

그러나 세나는 이런 방식을 택한다. 여러 장면을 꿰지만, 장면을 분절시키는 방식. 하나하나의 장면이 어떤 의미인가를 밝히는 이런 방식. 이것을 읽는 독자들이 수의 죽음에 슬퍼하기보다 수의 죽음이 무엇이었는지 생각하기를 바란다.

세나는 종종 그날의 사진을 꺼내본다. 그들은 그날 산책에서 돌아와, 사랑을 나누고 난 자리를 사진으로 찍었다. 누구도 암에 걸리지 않았으며, 누구도 작가가 아니었고, 누구도 사진가가 아니었다.

– 트레이시 에민도 비슷한 작업을 했잖아. 이미 다 존재하는 거야. 시시하다.

세나는 사진을 찍으며 그렇게 말했던 것 같다. 그래도 그녀는 찍었다. 평범한 미러리스 카메라로, 어지러운 침대를 찍었다. 뒤이어 수가 몇 장을 더 찍었다. 구겨진 침구, 세나의 흰색 원피스, 하늘색 속옷, 수의 리넨 셔츠와 버뮤다팬츠. 벗어 놓은 옷은 더없이 평범하고, 관능적이지도 않다. 수가 세나의 팔찌를 풀어 그녀의 원피스 위에 올려놓았다. 그렇게 하면 이 사진이 덜 평범하게 보일 것이라고 생각하는 것처럼.

하지만 이 사진에서 특별한 점은 팔찌가 아니다. 이 흔적을 남긴 연인 중 하나가 죽었다는 점도 아니다. 세나는 아니 에르노가 자신의 특별함에 기대 책을 엮은 게 아니라는 사실을 안다. 그녀는 흘러넘치는 사랑과 죽음, 그 신열과 두려움을 어찌할 수 없기에 썼다. 어떤 책은 기획되지 않는다고. 네 권의 소설집과 두 권의 장편 소설을 내놓은 소설가는, 순진하게도 그렇게 믿는다. 동시에 세나는 자신이 소설가가 될 수 없었기를 바란다. 수가 죽지 않아서, 그녀가 쓸 수 있는 이야기가 없었다면 좋겠다고 생각한다. 그러나 그는 죽었고, 그녀는 그와의 이야기를 자유롭게 쓸 수 있다. 여섯 권의 책을 꽉 채울 만큼 마음껏 쓸 수 있다.

— 그래서 수의 어떤 점이 그렇게 특별한 건데?

상윤은 세나에게 묻곤 했다. 세나는 그가 특별하지 않은 사람이라는 것을 인정해야 할지도 모르겠다고 생각한다. 그보다 중요한 것은 그녀가 분절하지 않고, 숨김없이, 그의 하루를 다 썼다는 사실이다. 이제야 그녀는 그럴 수 있다.

세나는 흰 눈썹을 발견한 자리를 쓰다듬었다. 큰 눈 위가 하얗게 물들어 갈 풍경을 이제는 편한 마음으로 바라볼 수 있을 거라고 느낀다. 그녀는 노트북을 덮고 책장으로 간다. 그리고 수가 읽어달라고 했던 그 책, 수가 남기고 간 책을 꺼내 본다. 그에게 읽어주었던 두 개의 문단 사이에 뛰어넘은 부분이 있다. 그녀는 그곳을 소리 내 읽어본다.

– 내가 캐내는 몸이 무기력한 상태에서 벗어나 ***무엇인가를 하기 시작하면****, 내 욕망이 변한다는 것이 그 증거이다. 이를테면 그 사람이* ***'생각하는'*** *것을 볼 때, 내 욕망은 변태적이기를 그치고, 다시 상상적인 것이 된다. 나는 하나의 이미지, 하나의 전체로 되돌아간다. 나는 다시 사랑한다.*

본문 26페이지 인용 : 아니 에르노, 『사진의 용도』, 신유진 역, 1984books, 2022, 7p.
본문 35, 36, 41페이지 인용 : 롤랑 바르트, 『사랑의 단상』, 김화영 역, 동문선, 2004, 108p.

작가의 말 | 이제이

노을로 물든 시골 국도변, 덩그러니 열려 있는 구멍가게, 그 앞에서 아이스크림을 먹는 연인.

이 풍경에서 이야기는 출발했습니다. 여러 번의 퇴고를 거치며 그 장면은 사라졌고, 새로운 이미지가 자리를 채웠습니다. 이를테면 해변에서 책을 낭독하는 세나의 모습, 물에 떠내려오는 노란색 보드 같은 것들이요.

아이스크림을 먹다가 노을에 매혹된 연인의 모습은, 현실에서 저를 사로잡은 장면이었습니다. 애인이었던 사람과 저는 넋을 잃고 지는 해를 바라보았지요. 아름다운 순간이었습니다. 그 순간 저는 노을에 물든 애인을 깊이 사랑한다고 생각했습니다. 그러면서 한 사람을 깊이 사랑하는 것이란 무엇일까 하는 질문을 떠올렸습니다.

소설에서 가장 아름다운 장면, 시작점이 되었던 장면은 빠졌지만 그 풍경이 빠졌기에 저는 제 안에 떠오른 물음에 좀 더 다가갈 수 있었다고 느낍니다.

제게는 이런 일련의 과정이 소설 쓰기입니다.

*

문장을 발췌하여 인용하는 것을 좋아합니다. 이번에도 어김없이 제가 좋아하는 일을 했습니다. 롤랑 바르트와 아니 에르노의 아름다운 글을 끌어왔지요.

좋은 문장을 읽은 후, 나의 색깔로 재해석하여 새로운 순간을 쓰는 것이 창작이라는 행위에 더 가까울지 모르겠습니다. 훌륭한 글을 모방하여, 소화하고, 변주하는 일 말입니다.

저는 그리 창조적이지도 않고, 다소 게으르며, 턱없이 부족합니다. 그래서 직접 가져다 씁니다. 그런 방식으로 이미 존재하는 문장들을 사랑하고 싶습니다. 이야기와 문장 사이에서 발생하는 어떤 것을 독자가 맛있게 먹고 잘 소화해 주기를 바랍니다. 제가 영리하게 쓰기보다, 독자가 마음껏 유영하며 창조하기를 바랍니다.

인용을 허락해 주신 1984 books와 동문선 출판사에 감사의 말씀을 드립니다.

*

더 좋은 글을 쓰기 위해 노력할수록, 더 좋은 사람이 되는 듯한 감각이 마음에 듭니다. 그래서 계속 쓰는 힘을 잃지 않을 수 있습니다. 써나가며 더 좋아지고, 좋아하고 싶습니다. 이야기와 삶 모두에서, 모두를요.

안도현

보험사에 다니는 직장인입니다. 한없이 높은 이상에 한 걸음 더 나아가는 것보단, 이상에 비해서 부족할 수밖에 없는 현실에 조금 더 너그러운 사람이 되었으면 합니다. 책을 읽고 무엇에 대해서든 글을 써보는 행위가 그런 일에 도움이 된다고 믿습니다.

비행몽

5월 11일

하늘을 나는 건 뭐랄까, 무한한 자유가 온몸에 벅차오르는 느낌이야. 아직 잠에서 덜 깬 새벽 공기를 한 번 크게 들이마시면 신선한 공기가 세포 하나하나에 가닿는 게 느껴져. 그러다 야릇한 느낌마저 들게 되면 말이야. 활처럼 가슴을 내밀고 공중으로 떠올라. 중력이 반대로 작용하는 세계에 속한 것 같은, 공중으로 붕 뜨는 감각을 느끼면 언제든 다시 떠오를 수 있어. 그러곤, 잠시 눈을 감고 하나의 감각에 집중해. 기울어진 갈대나 떨어지는 낙엽에서 볼 수 있는 바람이 만드는 인기척이 아니라 바람 자체에.

난 숲 위를 날아가는 걸 가장 좋아해. 묘한 기분이 들거든. 나무로 빼곡한 숲을 가로지르는 하얀 길과 저마다 자기 색깔로 물든 단풍이 한눈에 들어오면, 어느 숲이든 사랑할 수밖에 없어. 사람이 다니지 않는 길에 사뿐히 발을 디뎌보기도 해. 걷다 보면 풀잎에 가득 맺힌 이슬에 금방 옷이 젖어버려. 돌에 짓이긴 것처럼 농축된 풀 향에 머리가 아찔한데 말이야. 아무도 올 수 없는 숲길이어서 한없이 아늑한 기분만 들어. 그러다 뒷덜미에서 찌릿한 한기를 느끼면 나도 모르게 눈물이 고여. 너무 좋아서.

동이 틀 무렵에는 늘 어디선가 새소리가 들려. 나는 불을 켜지 않은 방에 혼자 앉아 있어. 부스스한 얼굴로 마른세수를 하면서 그 무해한 소리를 듣곤 해. 사실은 좀 짜증이 나. 밤을 새우고 맞는 새벽은 대개 무기력하고 불쾌하거든. 하루를 만족스럽게 보내지 못해서 잠들지 못한 거라고 자책하니까. 그러곤 또다시 몽롱한 상태로 하루를 시작하는 거야. 몸을 너무 각성시키면 잠이 오지 않을 거라고 걱정하면서도, 어느새 커피를 마시고 초콜릿을 집어 먹어. 몸을 각성하는 데 하루를 몽땅 써버린달까. 밤에 또다시 후회할 걸 알면서도 이래.

하늘을 날기 시작하고부터 이상하게 기운이 나. 아쉬운 하루를 보내서 쉽게 잠들지 못하나 보구나, 만족스러운 하루의 기준을 너무 높게 잡았어, 조금은 낮춰볼까, 라고, 스스로 다독일 만큼 말이야. 자기 손으로 하는 안마처럼 시원찮아도 덕분에 목덜미를 꽉 움켜쥐고 있던 긴장이 덜컥 풀릴 때도 있어. 그러면 마음이 아주 놓여. 잠깐이라도 단잠에 들 만큼.

하늘은 어떻게 나는 거냐고? 나도 모르겠어. 하늘을 나는 감각을 떠올리면 다시 날 수 있는데, 그 감각은 어디서 온 걸까. 몸이 마땅히 지니고 있어야 할 기능처럼 어느 날부터 내 몸에 존재하고 있어. 나도 처음에는 엄청 당황스러웠던 거 있지. 유체 이탈이란 게 이런 걸까? 근데 바닥에 누워있는 내가 없는 거야. 그래서 알았어. 내가 정말 하늘을 나는구나. 중력에서 벗어난 것만으로도 내 주변을 감싸고 있는 모든 것들이 포근하게 느껴지면서 기분이 좋아. 온몸이 녹아내릴 만큼 기분 좋은 간지럼을 느낄 때면, 어느 순간 갑자기 내가 어디론가 사라져 버리는 건 아닐지 불안해지기도 하지만. 그래서 이 편지를 쓰고 있는지도 모르겠어. 뭐든 지나치면 좋지 않잖아? 한 글자씩 꾹꾹 눌러 자꾸만 떠오르고 싶어 하는 마음을 눌러써 보는 거야. 쓰다 보면 마음이 놓여. 많은 걸 바라지 않을 테니까 늘 요새만 같았으면 좋겠다.

5월 22일

특별하지 않은 하루가 지나고 멈추었다 흘러가길 반복해. 어제와 오늘이, 오늘과 내일이 다를 바 없는 속도로 지나가는 걸 느낄 수 있는 건, 나한테 맞는 속도로 하루를 살아가고 있는 덕분일 거야. 나는 요새 목공 일을 배워. 내가 할 수 없는 일이라고 생각했던 무언가로 일상을 채운다는 건 아주 뿌듯한 일이야. 어제는 내가 정성 들여 사포질한 나무로 처음으로 무언갈 만들어냈어. 전동 드릴로 직접 나사를 박아 만든 내 작은 의자. 내가 제어할 수 없을 만큼 큰 힘이 필요할 것 같았는데 나사가 제 자리를 스르르 찾아갔어. 그리고 한 번 더 힘을 주어 드르륵. 이제야 내가 한 사람으로서 살아갈 수 있게 된 걸까, 라는 생각도 들었지, 뭐야. 목공소에 가는 길을 가끔가다 바꿔 보는 것, 그만큼 단조로운 일상을 바꾸는 것만으로도 새로운 하루가 시작된다는 게 신기해.

그러다 문득 그곳에 다시 가보게 됐어. 몸을 이완하는 순간마다 찾아오는 잡념들이, 온전히 내 하루를 살 수 없게 만드는 생각들이, 그곳에서 온 건 아닐지 하는 생각이 들었어. 너를 처음 만나던 시절 문득 찾아오는 불안한 마음을 달래러 우리가 졸업한 고등학교에 찾아갔던 것처럼 말이야.

그곳에는 여전히 아무런 빛도 없이 매일 어딘가로 향하는 사람들이 있어. 전조등을 켜지 않고 주행하는 자동차처럼. 어쩐지 마음이 쓰여서 거리를 한동안 떠날 수 없었어. 다른 시간을 사는 사람들 속에 끼어든 시간 여행자처럼 이질적인 분위기가 감도는 공기를 소화하지 못해 현기증이 날 것 같아. 가속이 붙어버린 일상을 단번에 멈춰버리는 방법은 어딘가에 곤두박질 쳐 버리는 거야. 그러고 싶은 마음을 계속 억누르고 있었던 탓에 몸에 이상이 생겼던 걸지도 모르겠어. 속도가 빨라지면 그만큼 공기가 희박해지는데, 숨쉴 수 없을 만큼 공기가 부족했다기보다는 더 희박해질 수도 있다는 게 무서웠어. 한 곳을 바라보고 사 년이라는 시간을 보내온 내가 멈출 수 있을까.

막연히 붙여버린 속도는 아무런 의미가 없는데. 내가 그런 사람이란 걸 너무 늦게 알게 됐으니까. 가만히 놓인 의자를 언제나 지구가 끌어당기고 있는 것처럼 어제의 일상이 오늘이 되고, 어느새 정신을 차려보면 수업을 듣고 있는 내가 있고, 어떨 땐 너와 J 그리고 K와 스터디룸에 있어. 그 시기에 대한 기억이 별로 없는 건 내가 아니라 어제의 내가, 그보다 더 전의 내가 그 시간을 살아냈기 때문일 거야. 마음을 쓰는 순간 와르르 무너져버릴 것만 같아서 어떤 감각도 감정도 모두 차단해 버린 채. 누구나 다 그렇게 지내면서 잘 살아 가는 걸까?

하늘을 날고 있으면, 내 몸속에 마땅히 존재하는 하늘을 나는 느낌을 통해 하늘을 날고 있으면, 풀이나 사람에도 아무것에도 예외 없이 작용하는 중력에서 벗어날 수 있어. 그제야 어김없는 법칙 속에 함께 존재하던 것들에 눈길이 가. 지나가다 마주치는 꽃봉오리 하나에서도 순수한 기쁨을 나눌 수 있어. 물론 관성에 의지하지 않고 하루를 온전히 감당해 내기 힘든 것처럼, 하늘을 날면서도 나는 사실 중력에도 어떤 따스함 같은 것이 있다고, 그러니까 어딘지 모를 곳으로 날아가 버리지 않도록 내가 의지할 수 있는 대상이라는 생각이 들어.

나도 더 나아가지 못할 만큼 상황이 나빠지지 않았다면 여전히 꾸역꾸역 어딘가를 향해 걸어가고 있었을까. 적어도 너는 그 안에서도 의미를 찾아낼 수 있는 사람처럼 보였어. 너는 아니라고 했지만. 열심히 하지 않아도 된다는 네 말이 진심이었다고 생각이 든 건 시간이 한참 지나고 나서였어. 그때는 남들보다 더 나약한 게 아닐까, 라는 의심 때문에 위로도 칭찬도 내게 아무런 영향을 주지 못했으니까.

6월 30일

오랜만이야. 사고가 좀 있었어.

별건 아니야. 있잖아. 혹시 당연한 줄 알았던 몸의 기능이 어느 날 갑자기 낯설게 느껴진 적 있니? 이를테면 잠에 드는 방법을 모르겠다거나…… 화장실에 앉아 있다가 문득 볼일을 어떻게 봤더라, 싶은. 사실 내가 지금 그런 상태야. 나, 갑자기 나는 방법을 모르겠어. 그동안은 어떻게 날아다녔던 걸까?

홋카이도 여행에서 같이 먹었던 스시 기억나니? 원래 그 호텔에는 하루만 머물기로 했잖아. 여행 첫날 공원 앞 호텔에 짐을 풀어놓고 갔던 회전 초밥집 말이야. 그곳이 너무 눈에 아른거려서 예정대로 떠날 수가 없었어. 어떻게 세상에 이렇게 맛있는 음식이 있을 수 있지. 간장에 숙성한 새우 초밥 하나를 입에 넣으면 말이야, 입안에서 녹아내리는 밥알처럼 내 몸도 녹아내릴 것 같았다니까. 그러고 보니, 하늘을 나는 느낌이랑도 비슷하네.

나도 알아. 네가 계획을 소중하게 생각하는 사람이란걸. 내가 그 초밥집을 두고선 아무 데도 갈 수 없다고 막무가내로 버텼지. 한참을 어쩔 줄 모르고 방황하던 네가, 마음을 굳혔다는 듯이 고개를 끄덕였을 때, 내가 얼마나 행복했는지 너는 상상도 할 수 없을 거야. 너는 맑은 동공이 어찌할 바 모르고 흔들릴 때가 가장 귀여웠어. 며칠 전에 문득 그 스시가 먹고 싶어졌어. 그래서 말이야, 홋카이도까지 날아가는 중이었어. 물론, 날 줄 안다고 하면 사람들은 내가 슈퍼맨처럼 한 손을 저 멀리 뻗치고, 소리보다 빠르게 날아가는 모습을 상상하겠지만. 너도 알잖아? 내가 얼마나 겁이 많은지. 추울까 봐 목도리도 두르고, 혹시 바다를 지나가다 떨어질까 봐 양쪽 겨드랑이에 튜브도 꼈어. 집을 나서기 전에 거울에 얼핏 비친 내 모습이 얼마나 우스꽝스럽던지. 그래도 나는 그 스시가 꼭 먹고 싶었어.

평소보다는 좀 긴 비행을 대비해서 마음도 단단히 먹었고, 혹시 몰라서 나침반도 챙겼어. 바다 위를 그만큼 오래 비행하는 건 처음이었거든. 십오분 정도 날아갔을까, 갑자기 아득한 바다 한가운데 떠 있다는 생각이 들었어. 지금 내가 뭘 하는 거지, 이러다가 갑자기 바다에 떨어지면 어쩌려고. 근데 정말 거짓말처럼, 그런 생각이 드니까 말이야, 하늘을 나는 감각이 내 몸에서 없어졌어. 하늘을 나는 느낌을 도저히 떠올릴 수 없는 거야. 그렇게 갑자기 바다 한가운데서 추락해 버렸어.

벌써 5월인데도, 동해 바닷물이 얼마나 차가웠는지 아니? 정신이 번쩍 들더라고. 아무 생각도 나지 않았어. 어, 이게 뭘까 싶었는데. 그래도 다행인 건, 그 아찔한 차가움 덕분에 갑자기 또 하늘로 붕 뜨는 거 있지. 그 길로 바로 집으로 돌아왔지, 뭐야. 아무리 스시가 먹고 싶어도 그 바닷물에는 앞으로 단 한 번도 빠지고 싶지 않아.

그때부터였어. 자꾸만 아득한 바다가 떠오르는 게. 눈을 감으면, 주변을 둘러봐도 무인도조차 없는 감청색 바다 속에 떠 있는 기분이 들어. 하늘을 날다가 나는 방법을 또 까먹으면 어떡하지? 지금은 너무나 당연한 그 느낌을 하늘을 날고 있는 도중에 갑자기 잃어버리면. 이게 말이야, 남들도 다 날 수 없는데, 너도 못 나는 게 정상이야, 이렇게 간단하게 말해버릴 건 아니야. 나한테는 그만둘 수 없는 일이거든.

오늘은 이만 줄일게.

8월 1일

요새 나는 어떠냐고? 아주 열심히 지내는 중이야.

다양한 방법으로 실험하고 있어. 있잖아, 너한테만 말해주는 건데. 곧 안정적으로 하늘을 나는 방법을 알아낼 것 같아. 궁금하니? 그렇다면 특별히 너한테는 방법을 알려줄지도 몰라.

내가 너무 당연하게 생각했던 거야. 하늘을 나는 건 스위치를 켜고 끄듯 사용하는 능력이라기보단 하나의 상태인 것 같아. 누군가는 언제나 지속될 거라 이유 없이 믿고, 누군가는 언제든 사라질 수 있을 거라 위태롭게 여기는 하나의 상태. 하루라도 더, 그런 상태로 하루를 보내는 게 내 바람이 되었어. 매일매일 스물 네시간을 보내는 데도 기억에 남는 건 한 줌도 되지 않아. 그렇지만 하늘을 날 수 있는 그런 상태에서 겪은 일들은 내 눈으로 바라보고 느낀 것들이 몸 안에 켜켜이 쌓여 가. 기억이란 건 어쩌면 기나긴 시간이 지나고 나서야 무게가 가려지는 걸 테지만, 어느 순간은 분명한 예감이 들어. 이 순간을 아주 오랫동안 기억할 거라고 말이야.

원래 할 수 있었던 거니까, 아무런 문제 없던 그때로 되돌아가려고만 했는데, 어쩌면 그게 문제였어. 내 몸도 내 맘대로 안 되면, 도대체 어떡하라는 거냐고, 아무런 대상도 없는 화를 내고 있었어. 화를 내는 상대가 있었다면 속이라도 시원했을까. 하늘을 나는 감각이 이음새가 틀어진 문짝처럼 덜컹거릴 수 있다는 걸 받아들이기로 했어. 내 마음도 몸도 문짝처럼 갈아낄 수 있는 게 아니어서, 물건 하나를 고쳐가면서 아주 오래 사용하는 일본 사람들처럼, 무언갈 애지중지하는 마음을 내 보기로 한 거야. 덜컹거려도 내 것이니까.

주말에 봉사를 가는 곳이 있어. 나무를 다루는 데 아직 서툴지만, 그곳에서 나는 작은 나무 의자를 만들어. 1톤 트럭에 너무 비싸지 않은 원목과 천연염료를 싣고 그곳에 가. 아이들은 제 얼굴 말한 원판에 작은 손으로 사포질하고, 천연염료로 나무나 해나 구름 같은 것을 그려. 티브이도 없는 곳이어서 그런지 사람보단 늘 주변에 존재하는 게 떠오르나 봐. 실용적인 물건에 제 손으로 그림을 그리고 염료를 칠해 넣는 일이 어쩐지 어른이 된 것 같은 느낌이 들어 좋아하는 것 같아. 자기만의 소중한 작품이 생긴 아이들 얼굴에서 생기가 도는 눈빛을 보고나면 그곳에 가길 잘했다는 생각이 들어. 자연에 맞닿아있거나 아이들을 바라볼 때면 기분에

여과되지 않은 감정을 느낄 수 있어. 마음속에서 올라오는 순수한 기쁨, 온몸을 가득 차오르는 그 감정에 집중하는 거야. 바람의 인기척이 아닌 바람 자체를 느끼듯. 그러다 보면 어느새 그 차가운 바닷물도 까마득해질거야.

혼자서 간직하려고 쓴 편지였는데, 어쩐지 지금은 보내고 싶은 마음이 들어. 제 자리에서 잘 지내고 있을 네게도 힘이 되었으면 해서. 나도 덕분에 힘을 냈으니까. 안녕, 잘 지내.

11월 1일

오랜만이지. 편지 잘 받았어. 그동안 네가 아주 궁금했어. 편지를 보니 안심이 되던걸. 잘 지내고 있구나. 많이 노력하고 있구나. 여전하구나. 항상 휘청거리면서도 뚝심 있게 나아가는 데는 나보다 소질이 있었으니까. 편지를 읽다가 집에 있던 책을 리어카에 몽땅 실어다 청계천에서 팔던 네 모습이 떠올랐어. 집에서 나와 고시원에서 혼자 살겠다고 했던 때 말이야. 입김이 하얗게 올라가는 겨울이었지. 우리가 노량진에서 수험생활을 시작한 첫 번째 겨울이었어.

나는 여전히 그때 다니던 회사에 다니고 있어. 달라진 점이 있다면, 내가 속한 부서가 층간 이동을 했다는 것 정도야. 요새는 12층에서 일하고 있어. 날씨 좋은 날이면 파란 남산타워가 보이기도 하고, 가을에는 온통 빨갛고 노랗게 물든 단풍을 보느라 정수기 앞에서 물 뜨는 척 한참 서 있기도 해. 우리 층에서는 탕비실이 경치가 제일 좋아.

사무실에 혼자 남아 야근을 하고 있으면 유리창을 통해 눈이 부시도록 노을이 밀려와. 어떤 날은 세상이 곧 끝날 것만 같이 푸르스름한 노을이 지고, 어떤 날은 마치 태양 한가운데 앉아 있다고 착각할 정도로 세상이 온통 붉은 주황으로 물들어 있어. 종종거리며 하루를 보내고 고개를 들어 한숨 돌리다 보면, 무정하게 타고 있는 노을에 홀린 것처럼 창 앞으로 걸어갈 때가 있어. 전면 유리창이지만 환기를 위해 허리 높이 즈음에 작게 난 창이 있는데, 몸을 잘 비집어 넣으면 충분히 들어갈 정도의 크기랄까. 내가 갑자기 저 구멍에 몸을 넣어버리면 어쩌지, 차라리 사고라면 몰라도. 독하게 버티고 있는 마음 틈새로 여린 한숨이 새 나올까 봐 열려 있는 창문에는 가까이 갈 수 없어. 마음을 들여다보는 데 소홀한 날만 이어지는 탓에 스스로를 믿지 못해 누군가 환기하려 열어놓은 창문을 괜히 닫아놓고 돌아와.

너무 멀쩡히 회사에 다니고 있고, 연애도 하고, 결혼도 할 건데 말이지. 맹목적으로 믿고 싶었나 봐. 나도 남들처럼 평범하게 살 수 있다고. 그러면 행복할 거라고. 그래서 안전한 길을 열심히 헤쳐 나가고 있는데 높은 사다리를 한 칸씩 위태롭게 올라가고 있는 고소공포자처럼 한 계단씩 올라갈수록 불안은 더 커져. 이번만 계단만 올라가면 평지가 나올까. 평온한 삶을 이뤄낼까. 헛된 희망만 걸어 보는 건 아무런 의미도 없다는 걸 알고 있는데. 12층에 있는 나는 항상 그걸 잊어버리고 내가 보내는 시간은 대부분 그곳에서 이루어져.

하늘을 난다는 건 아마도 사다리를 오르고 올라 어느 순간 평지에 이르게 될 거라는 희망을 품지 않는다는 게 아닐까, 네가 보내준 편지를 읽으면서 생각해 봤어. 네게 하늘을 난다는 건 한 사람의 몫을 온전히 해내기 위해 애쓴다는 말일 거라고. 같이 있을 땐 땅에 발 닿을 일 없을 정도로 한없이 몽상 속에 빠져 지내다가도 결정적인 순간에는 언제나 땅에 발을 딛고 나아가는 사람이었으니까. 그런 부분에서 우리는 믿기 어려울 정도로 달랐어. 나는 땅에 발을 딛고 한 계단씩 올라가 언젠가 하늘에 다다를 거라고 믿는 사람이니까. 네가 가진 어딘가 위태롭고 자유로운 에너지가 좋았어.

잘할 거로 생각해 선택했던 전공을 살려 무언갈 해보기보다는, 내가 바라보는 이상에, 그러니까 좀 더 인간적인 사람이 되고 싶다는 바람에 한 걸음 더 다가갈 수 있는 일을 해보고 싶었는데. 어느 날 덜컥 시험 준비를 한다는 너를 따라 그 시험을 같이 준비하기 시작했던 건, 사실 자신이 없었기 때문이었어. 글을 쓰며 서점에서 일해서는 도저히 너를 먹여 살릴 수 없다고 우스갯소리를 했었지만. 그때 그냥 내가 하고 싶은 일을 했으면 어땠을까 생각이 들 때도 있어. 그러면 내가 그렇게 무너질 일도 없었을 테고. 온종일 무언가를 하거나 해야 하는 것에 죄책감을 느끼며 살아가는 생활을 한다는 건, 일 년이든 이년이든 정해져 있지 않은 그 시간을 인간적으로 살길 포기해야 하는 거니까. 내가 바라는 내

모습과 대척점에 있는 생활인데. 어쩌면 내가 옳다고 생각하는 길이 아니라, 내 편의를 위한 길을 선택했다는 데에서 더 마음이 쓰였을지도 모르겠어. 물론 때로는 고마운 마음이 들어. 덕분에 평범한 삶을 꿈꾸고 있으니까. 한없이 하늘을 향해 자라나고 언젠가는 또다시 하늘을 향해 자라날 다른 존재들을 위해 죽음을 맞이할 나무처럼.

어떤 식으로 답장을 써야 할지 몰라서 주저리주저리 내 얘기를 끄적이다 보니, 어쩌면 네가 죄책감을 느꼈을지도 모른다는 생각이 들더라. 어떤 사람들은 자기만의 기준으로 죄책감을 느끼고, 자기도 모르게 자신한테 못되게 구는 사람이 있으니까. 내가 그렇게 무력하게 무너졌던 것은 오롯이 내 책임인데. 뭐랄까. 나를 지탱하는 아주 본질적인 기질이니까. 나는 작은 것들에도 너무나 신경을 쏟는 사람이어서, 큰일에 대해서는 맥없이 그냥 몸을 던져버리곤 했어. 그러고 나면 그저 무감각하게 그냥 버틸 뿐인데. 폭격이 지나가기만을 기다리고 몸을 웅크리고 있는 아이처럼. 그래도 계속 그럴 수만은 없더라. 이제는 그래도 노력하고 있어. 내가 감당할 수 없을 것 같은 덩어리가 나를 누를 때, 안간힘을 써서 맞대면을 해볼 거고, 외면하지 않을 거야. 그냥 무감각하게 버티지 않도록. 우리가 헤어지지 않았다면 평생 이런 노력조차 해보지 못했을 거야.

아마도 우리는 같은 노력을 하고 있는 걸지도 모르겠어. 땅을 딛고 하늘에 시선을 고정한 채 한 걸음씩 올라가는 내 모습이, 그리고 하늘을 날아다니다 조금씩 무게중심을 잡아가는 네 모습이 그려졌거든. 같은 길을 걷고 있는 타인이 있다는 건 아주 든든한 일이야. 나는 언제나 너에게 고마워하고 있어. 한 통의 편지가 더 있었더라면 하는 아쉬움이 있었어. 나는 방법을 알려준다고 했잖아! 나는 네가 꼭 하늘을 나는 방법을 알아낼 거라 믿어. 나도 노력해 볼게.

그래도 언젠가는 평안한 삶을 이뤄내길 바라며, 이만 줄일게.

작가의 말 | 안도현

우리는 누구나 하루 24시간을 살고 있습니다. 회사에 출근해서 일하고, 밥을 먹고, 출근하고 퇴근하는 시간을 제하고 나면 남은 시간은 24시간에 비하면 아주 일부일 뿐입니다. 그마저도 회사에서 기력을 다 쓰고 돌아오는 날이면 침대 위에 누워 보낼 때가 많습니다. 저나 제 주변 사람들은 몇 시간 전 먹은 점심 메뉴조차도 까먹을 때가 많습니다. 오늘 뭐 먹었어? 어제 뭐 먹었어? 라는 쉬운 질문에도 한동안 대답하지 못합니다. 늘 가던 편한 식당에서 익숙한 메뉴를 먹기 때문입니다. 몸에 밴 습관처럼, 일상의 많은 일들은 그저 흘러가며 잊히기 마련이지요.

어제와 오늘이, 오늘과 내일이 같은 일상을 보내는 건 우리가 삶을 살아가는 데 꼭 필요한 일입니다. 하지만 그것만으로는 어쩐지 하루를, 일주일을 잘 살아냈다는 기분이 들지 않습니다. 뭘 하며 24시간을, 144시간을 보냈는지 떠오르지 않으니까요.

무엇을 할 때 살아 있는 듯한 느낌을 느낀다, 혹은 사람 사는 것 같다고 표현하는 순간이 있습니다. 친구를 만나 술을 한잔하는 순간? 연인과 보는 행복한 시간? 낯선 곳에서 여행하며 보내는 며칠? 저마다 마치 머릿속에 각인이 되는 것처럼 기억에 오래 남는 순간들이 따릅니다. 그런 순간이 얼마나 있느냐 하는 양의 차이일 뿐.

저는 여행을 떠나 낯선 곳에서 맛보는 음식, 만나는 사람들과 분위기, 그리고 그곳에서 읽는 책들이 농도 짙게 기억에 남습니다. 그렇다고 매일 여행을 떠나며 살면 모든 순간이 기억에 남을까, 하는 생각도 듭니다. 놓아 버리는 순간 되찾기 힘든 것들, 애써 손에 움켜쥐고 있는 것들을 모두 놓아 버린 채, 제가 옳다고 '생각'하는 삶을 살 용기도 없습니다.

일상에서도 기억에 오래 남을 만한 순간을 맞이하기 위해서는 좀 더 용기를 내야 할 필요가 있다고 느낍니다. 일상에, 오늘의 내가 어제의 나에게, 내일의 내가 오늘의 나에게, 조금 덜 기댈 용기를 내어 하루를 맞이하는 게, 눈부신 일상을 만들어내는 방법이라고 믿습니다. 내가 쓰는 이 이야기가 소설이라고 부를 수 있는 걸까, 라는 의구심이 계속 들면서도, 아무튼 간 책을 읽고 글을 쓰는 일에 어중간하게 발을 들여놓고 있는 건, 그런 용기를 내기 위해서는 필요한 일이라고 생각하기 때문입니다.

조예은

말로 할 수 없는 생각과 마음을 쏟아내고 싶어 글을 쓰기 시작했지만 말로 하기 어려운 것들은 글로 쓰기도 어렵구나를 깨닫고 있습니다. 괴롭고 즐거운 마음으로 글을 씁니다. 제 글의 독자는 언제나 훗날의 저였는데, 기꺼운 마음으로 읽어 줄 다른 누군가가 있다면 조금 더 즐거운 마음으로 글을 쓰겠습니다.

부표들

부표들은 바다에서 태어난다. 물론 어부들이 영역을 표시하기 위해 줄줄이 엮어 놓은 부표들이나 배의 항로를 나타내는 부표들 말고 깊은 바다, 망망대해 한가운데 뜬금없이 떠 있는 부표들 말이다. 바다를 지나가다 이런 부표들을 마주치게 된다면 아마도 누구나 그들이 어떻게 거기에 있는지 궁금해할 것이다.

큰 폭풍우를 만나 바다 한가운데서 조난한 어떤 이는 허우적허우적, 육지가 있을 법한 방향을 향해 헤엄친다. 파도는 어머니의 양수처럼 잔잔하다가도 때로는 세차게 치솟아 오른다. 몇 번의 시행착오를 거친 그는 파도가 잠잠해지는 틈을 기다려 저 멀리 보이는 희미한 형체를 향해 힘껏 발을 구른다. 그러나 온 힘을 다해 도달한 섬의 형체는 그저 나뭇가지에 엉킨 쓰레기일 뿐, 그는 곧 손에 쥔 육지의 흔적을 간신히 버리고 다시 다른 방향을 향해 헤엄친다. 수십 분, 수 시간, 혹은 수일이 지난다. 이제 그는 사방을 둘러보아도 막막한 바다 한가운데일 뿐인 것을 깨닫는다. 미미하고 무의미한 발짓이 서서히 멈추고 온몸의 힘이 빠지기 시작한다.

그리고 바로 그 순간, 어느 때보다도 강한 삶의 열망이 차가워지기 시작하는 그의 몸을 뜨겁게 데우는 순간, 그럼에도 파도가 그의 눈과 코와 귀와 입으로 끊임없이 들이닥쳐 그의 몸이 서서히 가라앉기 시작하는 그 순간, 그는 죽고 부표는 태어난다.

– 그게 무슨 의미가 있죠?

처음 부 씨가 안에게 그 이야기를 해주었을 때, 안은 되물었다. 실소와 함께 터진 안의 물음에 부 씨는 긴 눈썹을 한껏 늘어뜨리며 어깨를 으쓱할 뿐이었다.

*

안의 하루는 제자리를 요동치는 너울 같았다. 아침이 되면 일어나 머리를 감고 세수를 하고 양치를 하고 모근을 말리고 적당히 옷을 골라 입었다. 일련의 과정은 서두르지 않아도 삼십 분이 채 걸리지 않아 버스를 한 번 갈아타고도 잠이 깨기 전에 직장에 도착하곤 했다. 안을 위한 한 칸의 자리에는 안이 회사를 떠나기 전 후임자에게 인계했던 일이 차곡차곡 쌓여 안을 기다리고 있었다. 레퍼런스 체크를 제대로 거치지 않고 뽑았을 것이 분명한 물경력의 후임자는 돌아온 안에게 업무를 다시 넘기며 면구스러운 얼굴을 했다.

— 사람은 착한데 말이야.

안은 언젠가 이 일의 가장 큰 원흉일 강이 후임자에 대해 평가하던 말을 떠올렸다. 회사에서는 일 못하는 게 나쁜 거예요, 안은 치밀어 오르는 구역질을 참듯 말을 삼켰다. 지난밤 잠들기 위해 반 알씩 연거푸 쪼개 먹은 수면제가 엷은 막을 덧씌운 것처럼 안의 주의를 흐리게 했다. 조금만 삐끗하면 입속의 말들이 와르르 쏟아져 버릴 것이다.

— 어쩔 수 없지, 고생해.

산뜻하게 안의 어깨를 두드린 강이 멀어져갔다. 안은 커피를 벌컥벌컥 들이켰다. 날카로운 금속 같은 정신을 무디게 하려고 둔중한 둔기로 힘껏 내리치다 보면 어느새 다른 면이 다시 날카로워져 버렸다.

낮 시간을 견디고 집에 돌아와 안은 다시 잠들기까지의 시간을 견뎠다. 낮 동안 억지로 긴장을 유지한 몸은 허물어지고 손가락 하나 움직이고 싶지 않은 무기력이 안을 덮쳤다. 저녁은 주로 집 앞 편의점에서 사 먹었다. 배달 음식은 고르고 차리고 치우는 것이 큰일처럼 느껴져 먹을 수 없었다. 안은 최근 피곤한 감각과 잠드는 현상이 전혀 별개의 영역임을 깨달았다. 그렇게 잠이 오지 않는 밤이면 안은 우주와 관련된 유튜브 영상을 보았다. 수십억 년 전 수백억 광년 떨어진 거대한 우주의 역사를 나긋나긋한 성우의 목소리로 듣다 보면 얼핏 잠든 것 같은 기분이 들기도 했다. 그리고 무엇보다도 안은, 상상할 수 없을 만큼 거대한 우주 속에서 스스로가 아주 작은 벌레처럼 느껴지기를 바랐다. 어린 시절 아무 의미 없이 손톱 끝으로 꾹 눌러 죽인 개미처럼, 아무 의미 없는 존재가 되어야 비로소 백의 빈자리가 아무것도 아닌 것이 될 수 있을 것 같았다. 그게 백이 없는 안의 일상이었다.

안과 백이 살던 삼 층 빌라에는 엘리베이터가 없었다. 좁은 층계 벽 석회 가루가 묻을까 몸을 잔뜩 옹송그리고 이삿짐을 나르던 안이

—나중에 이사 갈 때도 문제겠구먼.

툴툴거리자, 백은,

—이 집에 오래오래 살면 되지,

하고 안의 불만을 일축했다.

백이 내리는 결정들은 대부분 안은 절대로 이해할 수 없는 '느낌'에 근거를 두고 있었다. 백은 이 집이 '느낌이 좋다'고 했다. 백의 '느낌'들은 근거가 빈약하고 설득력이 없었는데, 백이 산 주식같이 대체로 결과가 좋은 것도 아니었다. 오히려 감이 좋은 편은 안이었다. 부엌과 안방에 커다란 창문이 있는 구축 빌라는 신축과 달리 방이 크고 넓었지만, 여름엔 덥고 겨울엔 웃풍이 불어 추울 것이 분명했다. 그럼에도 안이 백의 말을 따라 이 빌라에 살게 된 것은, 텃밭을 가꾸고 싶어 했던 백이 커다란 창 너머 자투리 공간에 작은 채소들을 키우는 모습을 상상했기 때문이었다.

이 집에 이사 오던 날 안과 백은 새벽까지 구석구석을 쓸고 닦고 짐을 풀었다. 이른 아침부터 움직인 몸은 너절하게 피곤한데도 종일 긴장한 정신만은 묘하게 말똥해 치킨과 생맥주를 시켜 먹었다. 맥주 한 잔에 금방 볼이 붉어지고도 기운이 넘치는지 백은 일어나서 춤을 췄다. 안을 억지로 일으켜 세우고 주광색 식탁 전구 아래서 몸을 흔들었다. 언젠가 백이 선물했던 크리스마스 산타 인형같이 뚱땅거리는 몸짓이었다. 음악도 춤도 백의 입과 몸에서 나오는데 신기하게 박자가 맞지 않았다. 백은 지금 자기가 얼마나 우습게 보이는지 알까, 생각하면서 안도 하하, 소리 내 웃었다. 웃음소리가 머쓱해 맥주를 벌컥벌컥 들이켰다.

안의 예상대로 백은 그곳을 무척 좋아했다. 하루를 무탈하게 끝낸 밤이면 백은 샤워 가운을 입은 채로 창가에 앉아 차를 마셨다. 가끔은 무슨 생각을 하는지 모를 눈으로 창밖을 바라보았다. 길쭉한 플라스틱 화분에 흙을 부어 키우는 방울토마토나 상추를 쓰다듬기도 했다.

백이 떠난 뒤 커튼으로 냉기를 가린 창가 옆 식탁에서 안이 밥을 먹는 일은 없었다.

*

여느 때와 같이 퇴근 후 도시락을 사 들고 돌아온 안은 집 안 식탁 의자에 낯선 사람이 앉아 있는 것을 발견했다. 안은 쾅, 하고 문을 다시 닫았다. 문 앞의 호수 판은 분명 안과 백의 집이었다.

— 누구세요?

안이 다시 문을 열고 낯선 사람에게 묻자, 그가 백의 자리에 구겨 넣은 커다란 몸을 일으켜 안에게 다가왔다.

— 안녕하세요?

그가 정말 안녕함을 묻기라도 하는 것처럼 말끝을 올려 물었다.

가로로 굵은 주름 하나가 깊게 팬 이마로 치켜 올라간 새카만 눈썹은 털이 아주 길어 부리부리한 눈 위로 음영을 만들었다. 양쪽 끝을 끌어올려 미소를 짓고 있는 입안 유난히 뾰족한 치아들이 어두운 가운데 유일하게 밝힌 식탁 전구 불빛을 받아 저마다 번들거렸다. 키도, 덩치도, 얼굴도, 얼굴 안의 눈코입도 무척 컸다. 언젠가 백과 함께 한 사찰에서 보았던 거대한 목상이 떠오르는, 그러나 안의 기억에는 전혀 없는 얼굴이었다.

언젠가 집주인이 세를 올려야 할 것 같다며 너스레를 떨던 것이 떠올랐다. 대꾸도 하지 않은 안에게 앙심을 품고 새로운 세입자를 구하고 있는지도 몰랐다. 그래도 계약기간은 아직 한참 남았고, 임차인의 동의 없이 부재중에 집을 보여주는 경우는 없었다. 안은 문이 닫히지 않도록 한쪽 발로 문을 지지했다. 누가 보면 안이 집주인의 평화로운 저녁 시간을 방해한 불청객 인 모양새였다.

—누구시냐고요?

반복되는 물음에도 그는 대답이 없었다. 무슨 말을 꺼낼 듯 살짝 달싹이던 입술은 곧 다물렸다. 대신 악수를 하자는 듯 손이 내밀어졌다. 안은 그 손목을 낚아채 바깥으로 힘껏 떠밀었다. 커다란 몸은 저항 없이 쉽게 딸려 왔다. 부피감과 달리 이상하리만치 무게감이 느껴지지 않는 몸은 커다란 공기인형이나 속이 빈 공갈빵 같았다. 힘을 잔뜩 준 것이 무색하게 몸이 휘청거렸다. 어쨌든 남자의 몸이 문밖으로 완전히 나가자 안은 문을 쾅 닫고 들어갔다. 자동 도어락이 채 잠기기 전에 남자가 손잡이를 다시 당길까 봐 재빨리 도어체인을 걸었다.

똑똑, 문밖으로 쫓겨난 남자가 현관문을 두드리는 소리가 들렸다. 남의 집에 멋대로 침입한 사람이라고는 생각할 수 없을 만큼 가지런한 노크 소리였다. 안은 아무 대답도 하지 않았다. 한참을 현관 앞에 미동도 없이 서 있자 문밖에서는 더 이상 아무 소리도 들리지 않았다.

안의 가정과는 달리 집주인은 집을 내놓은 적이 없다고 했다. 능구렁이 같은 집주인이 모르쇠를 잡는 것인지도 몰랐지만 몇 번이고 따지듯이 물어도 돌아오는 대답은 같았다. 안은 복도로 통하는 부엌과 안방 창문을 암막 커튼으로 꼼꼼히 가리고 도어락 비밀번호를 바꿨다. 현관문 앞에는 스테인리스 스틸로 만든 대걸레도 세워두었다. 낯선 이가 다시 안의 일상을 방해하는 일은 없어야 했다. 안은 출근 전 집 안을 꼼꼼히 둘러보았다. 벽에 걸린 벽시계는 아직 8시 10분 전이었다. 이 집에 이사 올 때 백이 직접 고른 부엉이 모양의 크리스털 장식 벽시계는 집 안 다른 가구에 비해 지나치게 화려한 감이 있었다. 심플한 것을 선호하는 안의 마음에는 조금도 들지 않았지만 안은 결국 백의 그 '느낌' 때문에 손수 못을 박고 시계를 걸었다. 논리를 따지고 잔소리를 해 봤자 백과의 싸움에서는 의미 없는 것을 알았기 때문이었다.

— 부엉이가 재물, 건강, 지혜를 상징한대.

— 좋은 건 다 갖다 붙였구먼?

— 응. 근데 다른 건 다 괜찮으니까 이 집에서 안이랑 소소하게 행복하게 살았으면 좋겠다.

백이 히히 웃었다. 자칫하면 뚱해 보이는 둥그런 입술은 웃을 때면 시원하게 호선을 그렸다. 안의 계산기는 백 앞에서 자주 쓸모가 없었다. 안은 모든 것이 분명하게 맞아떨어지기를 바라는 사람이었지만 백의 웃는 얼굴을 보면 그 순간만큼은 벽에 걸린 것이 부엉이든 낙타든 상관없을 것 같았다. 그러나 부엉이 시계를 걸며 백이 바라던 것들은 어떤 것도 오지 않았고, 백은 이 집에서 죽었다. 휴대전화를 꺼내 시간을 확인하니 7시 57분이었다. 시계를 건 지 삼 년이 넘었으니 배터리 수명이 다한 시계가 점점 느려진 것이리라. 안은 서둘러 문을 나섰다.

— 미친년들, 이 씨팔 것들!

층계를 내려오니 아래가 소란스러웠다. 같은 빌라 반지

하에 사는 노인이었다. 노인은 자기 집 문 앞의 박스며 플라스틱 음료수병 같은 것들을 닥치는 대로 지상으로 집어 던지고 있었다. 보행 보조기에 의지해야만 걸음을 뗄 수 있는 노인이 한 손으로 보조기를 쥐고 다른 손으로 바닥의 물건을 주워 다시 굽은 허리를 반쯤 펴고 그것을 위로 던지는 장면은 위협적이라기보다는 위태로워 보였다. 두어 달 전부터 분리수거 규정이 까다로워지면서 제대로 분리수거를 하지 않는 집은 쓰레기를 수거하지 않겠다는 공고가 붙어있었는데, 펼쳐 놓지 않은 박스나 음식물이 그대로 묻은 용기 같은 것들에 참다못한 관리인이 노인의 집 앞에 쓰레기를 다시 갖다 놓은 것 같았다.

안은 언젠가 백에게서 들었던 노인에 관한 소문을 떠올렸다. 이 동네 토박이인 노인은 젊은 시절에도 괴팍하고 고약스러웠다고 했다. 자식은 부모의 거울이라고 자식도 비슷했던 모양인지, 장성한 자식과 재산을 건 소송에서 패소한 노인은 무일푼과 다름없이 쫓겨났다. 노인이 얼마간의 돈을 가지고 다시 이 동네로 돌아온 것은, 노인을 쫓아냈던 자식이 갑작스러운 사고로 죽고 자식에게 빼앗겼던 재산 일부를 다시 상속받으면서였다. 쌓인 게 많아서 그럴까. 노인은 주변의 모든 것에 항상 화가 나 있었고 미친년, 씨팔년, 쌍년 같은 욕을 주문같이 외고 다녔다. 주변의 도움 없이 혼자 힘으로는 살 수도 없으면서 일주일에 한 번씩 구청에서 방문하는 요양보호사나 자원봉사자에게도, 오지랖 넓은 백에게도 마찬가지였다. 백은 노인에게도 오지랖을 부렸다. 그 오지랖이 어디서부터 시작되었을지 기억을 더듬어 보지만 당연하게도 안이 알 길은 없었다. 불완전한 백이 세상을 품는 방식은 거의 연민에 가까웠고, 안은 그걸 자기방어 기제의 한 종류라고 생각했다.

— 그 할아버지가 나더러 병신이 육갑한대.

백은 씩씩거리며 화를 내다가도, 얼마나 괴로운 일이 많았으면 그랬겠어, 혹은 불쌍하지, 주변 사람이 다 그렇게 보이는데 인생이 얼마나 괴롭겠어. 하고 어떻게든 변명을 대신 만들어냈다. 그러면서도 필요할 때면 뻔뻔스레 백을 찾는 노인에게 백은 가끔 무언가를 갖다줬고, 며칠 뒤 내용물이 없어진 종이봉투는 분리수거 통에 아무렇게나 처박혀 있곤 했다. 안은 언제나 백의 감수성과 공감 능력 같은 것들이 지나치다고 생각했다. 그들은 백을 조금씩 갉아 먹었다.

안은 노인을 싫어했다. 싫어한다는 표현은 약했다. 안은 노인을 혐오했다.

가족도 버린, 아무도 반기지 않는 목숨. 빌어먹는 것과 마찬가지인 삶.

안이 층계를 완전히 내려올 때까지 자기가 던진 쓰레기에서 나온 오물을 뒤집어쓴 노인은 멈추지 않고 소리를 지르고 있었다.

왜 백이…

안이 난간 아래로 노인을 노려보았다.

*

남자는 아무런 예고도 없이 안의 일상에 다시 나타났다. 여느 때와 다름없이 퇴근 후 집으로 가는 층계를 오르던 안은 현관문 앞에 커다란 물체를 발견하고 날카롭게 외쳤다.

— 당신 뭐야?

— 아, 안녕하세요?

반가운 친구를 만난 것처럼 인사한 남자는 느릿하게 몸을 일으켰다. 안보다 오히려 조금 더 컸던 백보다도 훨씬 커다란 검은 형체는, 완전히 일어서는 것만으로도 한참이 걸리는 것처럼 느껴졌다. 안은 거대한 불행이 문을 타고 집 안으로 넘어 들어가는 불길한 장면을 상상하고는 손에 든 봉투를 꽉 쥐었다.

– 오실 때까지 기다렸습니다.

어울리지 않게 살가운 목소리였다. 이런 얼굴을 한번 보고 잊었을 리가 없는데 아무리 생각해 봐도 이전에 아는 사람은 아니었다. 남자가 한 발짝 가까이 다가오자 안은 반사적으로 화들짝 물러났다. 난간을 잡지 않았다면 층계에서 발을 헛디뎠을 수도 있을 만한 몸짓이었다. 그는 안에게 더 이상 다가오지 않고 두 손바닥을 내밀어 보였다. 살짝 밀쳐지면 계단을 데굴데굴 구르게 될 것 같은 두툼하고 커다란 손바닥이었다.

– 백에게 이야기 들었습니다. 걱정을 많이 했었는데요, 백이.

남자의 입에서 나온 예상치 못한 이름에 안의 몸이 굳었다. 백은 책을 좋아하고 매일 밤 차를 우리고 텃밭을 가꾸는 사람이었다. 안은 백의 주변 사람들을 대부분 알고 있다고 생각했지만 이런 종류의 친구나 지인이 있다고는 들어본 적도 없었다.

— 백을 어떻게 아시는데요?

— 안 씨는 저를 알지 못하시겠지만, 저는 안 씨를 압니다. 예를 들면 건축회사에서 일하고 있다거나 서울에 온 지는 팔 년쯤 됐고 어린 시절엔 육상을 했다든가 하는 것들이요. 최근에는 회사를 다시 다니기 시작했다고 들었죠.

— 백에게 들었나요?

안은 밖에서 만난 사람들에게 개인적인 이야기를 하는 종류의 사람이 아니었다. 그런 건 백이었다.

— 그런 것도 있고, 아닌 것도 있죠.

안과 달리 남자는 시종일관 빙글빙글 웃는 낯이었다.

— 백하고 금전 관계가 있어서 저를 찾아오신 건가요?

백과 어느 정도 관계가 있었던 사람이 한 번도 본 적 없는 안을 찾아올 이유는 안의 상식으로 한 가지 가정밖에 없었다.

— 금전 관계는 아니지만 갚아야 할 것은 있습니다.

안이 머뭇거리자, 남자가 틈을 놓치지 않고 말을 이었다.

— 그런데 들어가서 마저 이야기해도 될까요? 오늘은 밖에서 오래 기다렸거든요.

마치 대단한 배려에 선심을 쓰는듯한 말투에 잘못된 결

과를 도출한 것은 충분히 자지 못해 멍해진 머리가 잘 돌아가지 않아서였을 것이다. 안은 남자가 보지 못하도록 키패드를 가리고 비밀번호를 눌렀다.

― 앉아도 될까요?

남자가 소파를 가리키며 물었다. 안은 마지못해 고개를 끄덕였다.

아이고고,

남자가 부러 과장된 소리를 내며 의자에 앉았다. 백의 자리였다. 평균 체형에 넉넉하게 디자인되었을 리클라이너에 힘겹게 비집고 들어간 남자가 거대한 몸을 이리저리 뒤틀어 편안한 자세를 찾았다. 남자의 몸이 꼭 끼인 가죽 리클라이너가 비명을 지르듯 자글자글 주름졌다.

― 차 한 잔 주시겠어요?

제집처럼 완전히 자리를 잡은 남자가 정중한 어조로 무례히 차를 요구했다.

― 백하고는 자주 차를 같이 마셨었는데.

안이 한숨을 쉬며 찻주전자와 잔을 가지러 부엌으로 몸을 돌렸다.

― 이미 알고 계신 것 같지만 저는 안이라고 합니다. 백을

어떻게 아세요?

안이 남자 앞에 찻주전자와 끓는 물이 담긴 전기 포트를 내려놓고 말했다. 상대가 자기를 소개하고 질문을 했으면 응당 답을 해야 할 텐데, 큰 손바닥의 절반도 안 되는 찻주전자에 찻잎을 우리는 데 집중한 남자는 한참 동안 말이 없었다.

— 백과 저는 서로의 많은 것을 알고 있지요. 어쩌면 안 씨보다도요. 물론, 제가 말하고 있는 것은 백의 나이나 이력, 취미나 하루의 일과 같은 게 아닙니다.

— 그럼 뭘요?

— 저는 백이 아무에게도, 심지어 안에게도 말하지 않은 마음과 생각을 알았죠. 아주 깊은 심해 밑바닥에 아무도 모르게 숨어 있던 것들 말이에요. 그리고 이런 말이 위로가 될지는 모르겠지만, 저는 백의 죽음에 적어도 한 가지 좋은 점은 있었다는 것을 안 씨에게 알려드리고 싶었어요.

— 뭐라고요?

안의 미간이 찌푸려졌다. 최악을 상상하고 적어도 한 가지 좋은 것을 찾아내 어떻게든 자기합리화하는 것은 백의 습관이었다. 큰 사고를 당해도, 사기를 당해도 백은 다행이지, 이 정도로 끝나서 말이야, 하고 웃었다. 그렇게 믿으면 실제로 그렇게 되기라도 할 것처럼. 그러니까 남자는 마치 백처럼 말하고 있는 것이다. 하지만 백의 죽음에 좋은 점이라니, 그런 건 있을 수 없었다. 안은 오만한 남자의 뺨을 주먹으로 갈겨버리고 싶은 충동을 느꼈다.

— 오해하지 마세요.

일그러진 표정의 안과 달리 온화한 표정의 남자가 덧붙였다.

— 백은 때때로 삶을 내던지고 싶은 욕구 때문에 괴로워했죠. 그건 물론 안 씨 때문은 아닙니다. 하지만 마지막 순간에 백은, 하루하루를 아주 소중하게 살았지요. 그리고 그건 주로 안 씨 때문이었습니다.

아주 어린 아이에게 해가 뜨고 지는 이유를 설명해 주는 것처럼 친절하게 남자가 말했다. 문득, 백과는 조금도 닮은 구석이 없는 남자가 백을 조금 닮았다는 생각이 들었다.

— 이름이 뭐예요?

이름을 안다고 달라질 것은 없겠지만. 뜨거운 차가 충분히 미지근해질 때쯤, 안이 묻자 졸졸 찻잔으로 떨어지던 물소리가 멈췄다.

— 그건 생각해 보지 않았는데요.

잠시 뜸을 들이던 남자가 처음으로 약간 곤란하다는 듯 미간을 찌푸렸다.

— 여기서 쓸 만한 이름은 생각해 보지 않았어요.

또다시 수수께끼 같은 남자의 대답에 안은 이제 견딜 수 없이 피로했다. 안은 그저 둘 사이에 놓인 뜨거운 차를 벌컥 벌컥 마셔 없애버리고 얼른 이 이상한 남자를 돌려보내 문을 걸어 잠그고 침대에 눕고 싶은 마음뿐이었다.

— 저도 한 가지 묻고 싶은 게 있습니다. 안 씨에게 백은 어떤 사람이었나요?

피로한 얼굴의 안에게 도리어 질문을 던진 남자는 커다란 손의 두어 마디 만 한 찻잔을 쥐고 천천히 한 모금을 음미했다.

— 혹시 바다를 지나가다가 부표를 보신 적 있으신가요?

부표들은 바다에서 태어난답니다.

남자가 이야기를 시작했다.

*

안은 백을 위해 저녁을 준비하고 있었다. 통증이 심해진 백은 극도로 피로한 상태로도 두 시간 이상 잠을 자는 일이 없었는데, 불면증 환자들에게 반응이 좋다는 유튜브 영상을 틀고 식사를 준비하다가 뒤를 돌아보니 백이 리클라이너 소파에 앉은 채로 잠이 들어 있었다. 자연스럽게 든 잠이라기보다는 기력이 쇠한 몸이 버티지 못하고 퓨즈가 끊어지듯 든 잠이겠지만 그래도 좋았다. 안은 잠든 백의 얼굴을 가만히 들여다보았다. 찌푸리던 미간이 완전히 펴진 채로 입을 살짝 벌리고 잠든 백의 얼굴은 아주 어린 아기 같아 보였다.

죽기엔 너무 젊은 나이 아닌가.

그래도 어쩔 수 없었다. 백을 일주일에 한 번씩 데리고 가는 대학병원 진료실 앞 대기석에는 백보다도 훨씬 나이가 적은, 젊다고 말하기에 뭣한 어린 애들도 많았다. 병원에 가는 날이면 백도 잔뜩 긴장해 컨디션이 다운되고 새벽부터 도떼기시장 같은 병원 구석구석을 돌다가 집에 돌아오는 저녁쯤이면 거의 초주검이 되어 있곤 했는데, 백보다도 훨씬 작은 그 아이들은 어떻게 버티고 있는 것인지 안은 전혀 이해할 수 없었다.

그 무렵 독한 약은 백을 침식한 덩어리들을 공격하는 동시에 백 자신의 몸도 조금씩 태우고 있었다. 안과 백은, 적어도 안은, 어떻게든 균형을 유지하고 싶었다. 그러나 그것은 안의 권한이 아니었다. 안은 약으로 백의 몸이 타들어 가는 것을, 백을 침식한 덩어리들이 손 쓸 수 없이 불어나는 것을, 그래서 언젠가 모든 상황이 끝나게 되는 것을 기다리고만 있었다. 백의 몸은 상온에 방치된 고기처럼 서서히 상해 가고 있었고, 백은 어느 날은 아랫집에서 생선을 굽는 냄새에 엉엉 울며 화를 내다가 다시 어느 날은 아무렇지 않게 시답잖은 농담을 하면서 킬킬 웃었다. 안은 백이 삶에 대한 희망을 마지막까지 버리지 않도록 해줘야 할지 마지막을 받아들일 수 있도록 도와야 할지 판단할 수 없었기 때문에, 아무 말도 하지 않는 편을 택했다.

푸-, 푸, 얕게 숨을 들이쉬고 내쉬는 백의 목 주변 근육은 숨을 한 번 들이쉬고 내쉴 때마다 가쁘게 떨렸다. 안은 제 목에 가만히 손을 대보았다. 고작 숨을 한 번 들이쉬고 내쉬는데 이렇게 모든 근육이 하나하나 잘게 진동하는 게 맞는지 의심이 들었다. 망가진 무언가를 대신해 다른 무언가가 두 배로 움직이고 있는 것이리라. 그래도 눈을 감은 백의 얼굴만은 태풍의 눈처럼 고요하고 평화로워서 안은 이대로 시간이 영원히 멈추기를 바랐다. 안은 백이 누운 리클라이너를 조심스럽게 제쳤다. 테이블 위 태블릿 화면에서는 안이 죽을 때까지 절대 지접 두 눈으로 볼 일 없을 거대한 초신성이 폭발하는 장면이 나오고 있었다. 지구 같은 작은 행성 몇 개쯤은 거뜬히 집어삼킬 폭발 장면이 송출되는 동안에도 나긋나긋한 내레이션 음성은 평화로웠다. 폭발 뒤 암전이 찾아온 태블릿 화면에 먼지와 지문 자국이 비쳤다.

아!

안이 짧게 신음을 질렀다. 손톱을 베어 버릴 만큼 날카롭고 깔끔하게 베지는 못할 만큼 무딘 칼에 안의 손톱 끝이 반쯤 날아가 덜렁거렸다.

— 무슨 일이야?

거실 소파에서 자고 있던 백이 어리둥절한 얼굴로 일어나 부엌의 안을 향해 잰걸음으로 다가왔다.

— 조심 좀 하지,

백이 도마 위에 멍하니 놓인 안의 손을 조심스럽게 감싸 쥐었다. 매끈하게 펴졌던 미간이 다시 한껏 찌푸려진 백이 안의 엄지손가락을 이리저리 돌려보며 혀를 쯧쯧 찼다. 싱

크대 앞에 멈춘 안을 뒤로하고 소독약을 찾는 백이 부산스럽게 움직였다. 통증에 늘 웅크리고 있던 몸이 기적처럼 펴지고 퉁퉁 부은 손이 머리 위의 찬장을 뒤졌다.

앞으로 다시는 이 정도로 사랑해 줄 사람도, 스스로 이만큼 무언가를 사랑할 수 있을 만한 힘도 없을 것이다. 무엇으로도 백의 자리를 채울 수 없을 것이다. 틀림없이 그럴 것이다. 견딜 수 없는 고통 속에 죽어가는 백 앞에서 안이 우는 이유는 겨우 그런 것이었다. 견고한 지붕을 잃은 손톱 밑 여린 살로 벌겋게 피가 차올랐다.

부 씨는 안의 집에 머물게 되었다. 안은 서울에 연고가 없다는 남자를 내쫓지 않았다. 그리고 그를 부 씨라고 부르기로 했다. 부 씨는 안과 백보다 훨씬 거대했으나 원래 두 명이 살던 집이었으므로 잠깐 같이 생활하는 것에 큰 무리는 없었다. 부 씨는 백의 몫의 집기를 쓰고 작은 방에서 잤다. 커다란 발이 이불을 뚫고 토퍼 밖으로 나와 백이 쓰던 무릎 담요를 접어 발밑에 깔아 주었다, 어쩌다 이렇게 되었는지 스스로를 명확하게 이해할 수 없었다. 남자를 만나고 난 뒤로 안은 마치 바다 한가운데의 부표처럼 저도 모르게 이리저리 휩쓸리고 있었지만, 한 편으로는 기묘한 안정감마저 들었다. 차곡차곡 쌓여있던 일상에서 백이라는 조각이 사라지고 주변의 모든 것들이 와르르 쏟아진 큰 구멍을, 어느 날 갑자기 나타난 남자가 채우고 있는 것이다. 안은 마음 한구석의 찝찝함을 씻어내려는 듯이 쌀을 박박 씻었다.

— 어, 쌀을 그렇게 세게 씻으면 안 돼요.

부 씨가 안이 틀어놓은 싱크대 수도를 잠그고 쌀바가지를 빼앗았다.

— 영양소가 다 날아간대요.

부 씨 때문에 아주 오랜만에 쌀을 씻게 되었던 것 같은데, 부 씨와 있으면 주객이 전도되었다. 그는 안에게 바가지를 빼앗아 조심스럽게 쌀을 씻었다.

— 백미는 이렇게 살살 휘저어가며 씻어야 한 대요. 쌀을 담고 물을 붓는 게 아니라 물 먼저 받아 놓고 쌀을 부으면 더 좋구요.

— 왜요?

— 겨나 먼지 같은 게 떠오르기 좋거든요. 그리고 백미보다는 잡곡을 먹도록 해요.

불퉁하게 묻는 안에게 부 씨가 말을 더했다.

— 백은 이런 작은 식물들을 좋아했죠.

밥그릇에 쌀뜨물을 담아 백이 키우던 화분에 물을 주던 부 씨가 말했다. 오랫동안 물을 주지 않아 단단해진 흙에 졸졸, 물이 떨어지는 소리가 났다. 키우던 꽃나무들이 말라 비틀어 죽은 자리에 작고 낮은 풀이 자라 있었다.

— 자세히 보지 않으면 잘 보이지도 않을만한 꽃인데 말이죠. 그래도 가만히 보고 있으면 말이에요, 백이 왜 이런 걸 좋아했는지 알 것 같을 때가 있어요.

부 씨가 검지로 작은 잎 사이 훨씬 더 작은 흰 꽃을 조심스럽게 쓰다듬었다.

어디선가 날아온 씨앗은 어쩌다 보니 화분 위 단단한 흙에 떨어졌을 것이다. 운 좋게 내린 비에 싹을 틔웠을 것이다. 날아가지 않으려고 이제 막 자라기 시작한 촉촉한 실 같은 뿌리로 몇 톨의 흙을 단단히 움켜쥐었을 것이다. 빛을 견디고 이슬을 받아 뿌리를 내렸을 것이다. 상상력이 뛰어난 백은 아마도 이런 과정을 생각했을 것이다. 안은 부 씨의 말에 고개를 끄덕였다.

의외로 살림꾼인 부 씨는 잔소리도 많이 했는데, 말에서 그치지 않고 꼭 일을 시켰다.

— 곰팡이가 보이기 시작하면 이미 늦은 거예요. 이 집은 화장실에 창문이 없어서 곰팡이가 자주 생기니까 최소한 일주일에 한 번은 주기적으로 락스로 닦아요.

부 씨가 열은 회색 타일 위 분홍색 곰팡이에 술로 고수레하듯 뚜껑에 담은 락스를 흩뿌렸다. 안은 열게 핀 분홍색 곰팡이를 멍하게 바라보다 열꽃이 핀 백의 얼굴을 떠올렸다. 타일 바닥에 골고루 락스를 뿌린 부 씨가 화장실 입구에 서 있는 안의 손에 청소 솔을 쥐여주었다.

— 자, 이제 닦아요.

손에 솔을 쥔 안은 부 씨의 존재 자체가 슬며시 나타나 집안 곳곳에 손쓸 틈 없이 피어나는 곰팡이 같다고 생각했다.

부 씨는 늘 안의 생활 하나하나에 한 마디를 보탰다. 그러나 안의 기준에서 분명히 선을 넘는 부 씨를 쫓아내지 않는 것은, 그런 잔소리들이 언젠가 들었던 것처럼 경계가 모호한 걱정이나 관심과 비슷한 형태인 것처럼 느껴졌기 때문이었을 것이다. 부 씨에게 안은 그가 정확히 답을 해 주지 않은 질문들—누구이고 왜 여기 왔느냐—에 대해 더 이상 묻지 않았다.

— 산책 나가요.

— 산책이요?

— 네, 먹고 바로 누우면 안 좋아요.

부 씨가 소파에 누운 안의 팔을 잡아당겼다. 안은 반사적으로 몸을 움츠렸지만, 팔목이 잡힌 채로 몸이 쉽게 끌려 일으켜졌다.

늦여름의 밤공기는 적당히 시원했다. 얼마 전까지만 해도 숨이 막힐 것 같은 한여름이었는데 비가 몇 번 내리고 나니 더위가 한풀 꺾여 있었다. 부 씨가 익숙하게 횡단보도를 건너 공원 입구를 찾았다. 안에게도 익숙한 길이지만 최근에는 한 번도 오지 못했던 곳이었다. 안과 백은 거의 매일 공원을 걸었었다. 커다란 공원을 가로지르는 여러 갈래의 길 중 백은 언제나 지면이 가장 고르지 않은 한적한 길을 골랐다. 한때는 그 길을 둘이서 거나하게 취해 마음대로 낄낄거리며 걸었던 적도 있었다. 불과 얼마 전 같기도 하고 아주 오래전 같기도 한 기억이었다.

동해를 막으려 짚으로 솜씨 있게 동여맨 나무들은 소복이 쌓인 눈 위에서도 추워 보이지 않았는데, 백은 거무스름한 낯을 모자와 목도리와 귀마개로 감싸고도 따뜻해 보이지 않았다. 전날 찻잔을 깨뜨린 백은 손끝의 감각이 둔해지고 있다고 했다. 손뿐만이 아니었다. 백의 장기는 하나씩 기능을 멈춰가고, 먹는 일과 먹은 것들을 밖으로 배출해 내는 당연한 일이 백에게는 점점 힘든 일이 되어가고 있었다.

매년 이 공원을 관리하기 위해 들어가는 돈이 얼마일까, 안은 계산할 수 있는 것들을 계산하고 싶었다. 저 나무들이 무사히 겨울을 나게 하기 위해 지자체에서는 큰 비용을 들였을 것이다. 안과 백의 평생에는 만져 본 적 없는 돈일지도 모른다. 한때는 안에게도 백과의 삶을 꾸려가기 위해서 돈이 가장 중요한 문제인 것처럼 보였던 적도 있었다. 그러나 돈을 써서 해결되는 문제란 얼마나 간단한 일인가. 이제 안은 아주 많은 돈을 가지고도 커다란 불행을 맞닥뜨린 이들의 이야기에서 알량한 안도와 비슷한 기분을 느꼈다.

부욱,

생각에 빠져 백의 옆을 걷던 안이 기다란 천을 시원하게 찢는 것 같은 소리에 잠시 멈춰 섰다.

— 밖에서 방귀를 막 뀌면 어떻게 해.

걸음을 멈춘 안보다 두어 걸음을 더 디딘 백이 뒤를 돌아 킥킥 웃었다. 하품하는 안의 입에 재빨리 손가락을 넣었다 뺄 때처럼 장난기가 묻은 얼굴이었다. 팽팽한 바람이 빠지듯 하하, 어이없는 웃음이 나왔다. 백도, 백의 체온도, 소리도, 냄새도 아직은 이곳에 있는 것이다, 안은 손가락 사이를 크게 벌려 백의 차가운 손을 고쳐 쥐었다. 백과 나란히 걷는 길에는 다 자라지 못한 어린나무 뒤 직사각형의 건물들 사이로 해가 지고 있었다. 백은 아주 느리게 걸으면서 두 눈을 가늘게 좁히고 그 풍경을 지켜보았다. 해가 지는 것을 처음 보는 사람 같은 모습이었다. 하늘은 온통 붉었고 거무스름한 백의 얼굴은 조금 상기 돼 보였다. 비스듬히 해를 비켜선 백의 옆모습을 바라보며, 안은 언젠가 이 순간을 아주 많이 그리워하게 될 거라는 걸 알았다.

— 잠깐 쉬었다 가요.

안이 걸음을 멈추고 연석 위에 앉았다. 부 씨가 자판기에서 음료수를 뽑아왔다. 차가운 이온 음료를 들이켜니 두통과 함께 정신이 깨어났다. 늦여름에도 때늦은 매미 우는 소리가 들렸다. 문득 이번 여름에 매미 소리를 들은 것이 처음이라는 생각이 들었다.

— 여름이네요.

안이 말을 꺼내자 부 씨가 고개를 끄덕이더니 덧붙였다.

— 계절이 참 빠르죠.

부 씨는 안을 따라 연석에 잔뜩 쪼그려 앉아 다리를 이리저리 뒤척이다가 굵고 긴 다리가 잘 구부러지지 않아 불편한지 얼마 지나지 않아 일어났다. 날씨에 관한 이야기를 몇 마디 더 주고받다가 안도 남은 음료를 털어 마시고 금세 일어나 엉덩이를 털었다.

단조로운 날들이 지나가고 있었다. 부 씨는 겉모습과 달리 말투나 행동이 느긋하고 여유로웠다. 오랫동안 살림을 하던 사람처럼 집안일을 깔끔하게 잘했고 이제는 선을 크게 넘지도 않았다. 안은 부 씨를 썩 나쁘지 않은 룸메이트 정도로 여기고 있었다. 오랜만에 평범한 날들이었다. 그러나 안은 아주 가끔, 부 씨의 무표정한 얼굴에서 부 씨를 처음 보았던 날처럼 섬뜩함을 느꼈다. 분명한 이유가 있는 것은 아니었다. 그 순간은 찰나였고 불분명했기 때문에 안은 자신의 감에 타당한 이유를 찾지 못했다. 이를테면 이런 때였다. 가끔씩, 어디를 보는 것인지 모르게 허공을 응시하던 부 씨는 안과 눈이 마주치면 웃었다. 완전히 표정이 없던 얼굴이 눈썹을 한껏 늘어뜨려 눈가에 주름이 지고, 끌어올려 벌어진 입꼬리 사이로 육식동물처럼 유난히 삐죽한 치아가 드러났다. 인간 거죽을 뒤집어씌운 기계의 버튼을 누른 것처럼 얼굴의 근육이 천천히 바뀌는 모습은 왠지 모르게 꺼림칙한 기분이 들게 했다.

으아악,

조금 늦은 퇴근 후 층계를 오르던 안은 어딘가에서 비명을 듣고 멈칫했다. 오르던 층계에 서서 잠시 기다렸지만, 아무 소리도 들리지 않았다. 안은 다시 층계를 두어 걸음 올랐다. 으으, 삐걱거리는 철제 계단 아래쪽 지하 통로에서 다시 신음 같은 소리가 들려왔다. 반지하에 살고 있는 노인의 목소리였다. 잠시 망설이다 몸을 돌려 층계를 내려갔다. 계단 한 단을 밟을 때마다 줄어드는 가로등 불빛에 조도가 낮아졌다. 안은 철제 계단을 발끝으로 밟아 날카로운 쇳소리를 죽이고 눈에 보이는 거대한 인영에 다가갔다. 어둠 속에서도 울퉁불퉁한 옆얼굴의 굴곡이 보일 정도로 가까이 다가갔는데도 부 씨는 고개를 돌리지 않았다. 노인은 한쪽 팔을 부 씨에게 잡힌 채 바닥에 주저앉아 있었다. 앙상한 두 다리가 늘어져 의미 없이 바닥을 긁었다. 부 씨는 유난히 검은자가 새카맣고 큰 눈으로 지저분한 바닥에 누운 노인을 노려보고 있었다. 언젠가 보았던 것처럼 무표정한 얼굴이었다. 안은 아무것도 보지 못한 것처럼 그 자리에서 등을 돌려 달아나고 싶은 충동을 느꼈다.

― 사람 살려! 아이고 나 죽네,

부 씨보다 먼저 안을 발견한 노인이 안을 향해 소리를 질렀다. 발이 조금 더 빠르게 빈 땅을 휘저었지만, 그뿐이었다.

― 놔줘요.

반나절 이상 말하지 않았던 목구멍은 얇은 막이 씌운 것처럼 조금 메인 소리가 났다. 안의 목소리에 뒤를 돌아본 부 씨가 노인의 팔을 놓았다. 반쯤 허공에 끌어 올라갔던 노인의 몸이 풀썩, 바닥으로 가라앉았다. 손쉽게 잡을 수 있는 먹이를 아쉽게 놓친 육식동물처럼 부 씨가 바닥에 누운 노인을 바라보았다. 노인은 늙은 나뭇가지 같은 팔다리를 움직여 안에게로 기었다.

― 뭐하는 거예요?

안은 자신의 목소리가 최대한 단호하게 들리기를 바랐다. 날카로운 안의 물음에 부 씨는,

― 일으켜 주려고 했을 뿐이에요.

하고 말했다. 이윽고 이마와 눈썹과 입꼬리를 움직여 난처하게 웃는 듯한 표정으로 두 손바닥을 들어 보였다.

— 올라가요.

부 씨는 흘끗 노인을 돌아보더니 두말하지 않고 층계를 올랐다. 부 씨의 거대한 몸이 탁, 탁, 경쾌하게 계단을 오르는 소리가 지하를 울렸다. 부 씨의 모습이 완전히 사라진 것을 확인한 안은 쓰러진 보행 보조기를 가져와 노인을 일으켜 세웠다.

꺼림칙한 사건 뒤에도 일상은 변하지 않았다. 부 씨는 평소에도 몇 시간씩 대중없이 외출하고 돌아왔는데 안보다 일찍 집을 나설 때도, 늦게 돌아올 때도 있었다. 그래도 저녁이면 같이 밥을 먹고 설거지를 하고 산책을 했다. 어느 날은 화장실을 청소하거나 티브이를 보기도 했다. 부 씨는 특히 여행 프로그램을 좋아했는데, 거대한 덩치의 부 씨와 거실 바닥에 나란히 앉아 빨래를 개며 티브이를 보다 보면, 화면 속 이국적인 풍경보다 현실이 더 이질적인 것 같다는 생각이 들었다. 할 일을 끝내고 눅눅한 땀을 씻어내고 나오면 잠자리에 들 시간이었다. 습관처럼 잠들기 전 문을 걸어 잠갔지만 문 너머에 부 씨가 있다는 것으로 조금 안도감이 들기도 했다. 안은 잠들기 위해 자리에 누워 유튜브 영상을 틀었다.

백이 죽기 며칠 전에 안은 꿈을 꾸었다. 교회나 성당같이 느껴지는 건물 안 기다란 의자에 안과 백이 나란히 앉아 있었다. 어디선가 얼굴을 복면으로 가린 커다란 남자가 다가와 한 손에 머리통 하나씩, 안과 백의 이마에 나란히 총구를 댔다. 안과 백은 박해받는 종교인 같기도 했고 전쟁을 피해 숨어들어 온 난민 같기도 했다. 살려달라고 말해야 할 것 같은데 말이 입 밖으로 나오지 않았다. 어떠한 표정이나 감정 같은 것도 느껴지지 않는 남자가 살려줄 것 같지도 않았다. 그가 방아쇠를 당겼다.

탕—,

다행이다

다행이야 같이 죽어서

안이 꿈에서 마지막으로 느낀 감정은 안도였고, 깨어나 처음 느낀 감정은 절망이었다. 안은 잠든 백의 머리를 쓸었다.

— 이제 살아있어서 좋은 건 안이 옆에 있다는 것뿐이야.

낮에는 모르핀을 맞고 통증이 잠시 진정된 백이 안의 손을 끌어 자기 얼굴에 갖다 대었다. 매일 열이 오르던 뺨은 살짝 차갑고 축축했다. 백이 어리광을 부리는 것처럼 느껴져 안은 조금 웃었다.

이십사 시간 모르핀이 들어가기 시작하면서 백은 잠들 수 있게 되었다. 치료를 그만두고서부터 아기 솜털같이 자라난 머리카락이 부드럽게 손바닥을 간질였다. 이 모든 결정은 안이 했다. 백은 더 이상 아무 말도 할 수 없었다. 백의 몸에서 제 기능을 다하고 있는 것은 이제 머리카락뿐이었다. 아주 옛날에도 이렇게 잠든 백의 머리카락을 만지며 죽을 때까지 백을 사랑하리라고 생각한 적이 있었다. 백을 사랑하는 것은 스스로 선택한 것이 아니라 진부한 운명 같다고 생각했었다. 그래도 분명 사랑만 있었던 것은 아니었는데, 지리멸렬한 죽음 앞에서 단단한 덩어리들은 날카로운 체에 갈리고 걸러져 백의 머리털같이 고운 솜털 같은 것만 남게 되었다. 백의 머리를 쓸며 안은 오래전 그때 제 생각이 틀렸음을 직감했다. 안은 백이 죽고 나서도 백을 사랑할 것이다. 어쩔 수 없었다. 죽음은 백이 죽고 난 뒤에도 다른 순간이 아니라 죽음 문턱의 백의 모습밖에 떠올리지 못하도록 할 만큼 강력했지만, 안에게서 백을 지워버릴 만큼 강하지는 못했다.

*

— 아침을 찾으러 가요.

늦은 밤 잠들지 못하는 안에게 부 씨가 말했다. 약 없이 잠들기에 실패한 안이 수면제를 먹기 위해 몸을 일으켜 앉았을 때 똑똑, 문을 두드리는 소리가 들렸다. 안은 자리에서 움직이지 않고 가지런한 소리가 흩어지기를 기다렸다. 똑똑, 부 씨는 떠나지 않고 한 번 더 문을 두드렸다. 안은 할 수 없이 일어나 잠긴 문을 열었다. 의도하지 않아도 어조에는 절로 퉁명스러움이 섞였다.

— 무슨 소리예요?

— 해 뜨는 거 보러 가요.

— 내일요?

— 아니요, 지금이요.

— 안 돼요, 지금이 몇 신데요.

이상한 소리하지 말고 가서 잠이나 자요, 오랜 밤 쉬지 못한 머리가 날카로운 짜증을 뱉어내려 했다.

— 지금이어야 해요.

— 난 싫어요. 갈 거면 혼자 가던가요.

— 안을 위해서 가는 건데요.

— 저는 필요 없다니까요.

안이 단호하게 말했다.

— 필요해요. 아침이 되면 밤을 기다리고 밤이 되면 아침이 오기만을 기다리고 있잖아요.

부 씨가 말했다. 드물게 웃지 않는 얼굴이었다.

몇 주 동안 끌지 않은 소형 SUV는 배터리가 다 되었는지 시동이 잘 걸리지 않았다. 댓 번의 시도 끝에 헛돌던 엔진이 경쾌한 소리를 냈다. 잠깐 기분이 좋았다가 이 차를 타고 캄캄한 어둠 속 어디론가 가야 한다는 사실을 떠올리자 곧 가라앉았다. 안은 동해로 차를 몰았다. 오랜만의 새벽 장거리 운전은 쉽지 않았다. 잔뜩 긴장해 깜빡이지 못한 눈이 뻑뻑하다 못해 찢어질 것 같을 때쯤 휴게소에 들러 육개장을 먹었다. 소고기 조각과 파, 고사리 몇 가닥이 들어있는 육개장은 건더기는 별로 없었지만, 맛은 나쁘지 않았다. 휴게소를 떠나 한 시간쯤 지나니 곧 해가 뜰 것 같이 희미한 빛이 밝아오기 시작했다.

마음이 급해진 안은 해변을 찾지 못하고 도로변에 차를

세웠다. 바다를 떠올릴 때 기대한 백사장의 풍경과는 다른 다소 을씨년스러운 곳이었다. 파란 슬레이트 지붕을 얹은 낡은 집들 앞에 어망과 하얗고 둥근 스티로폼 구체들이 아무렇게나 쌓여있었다. 문 앞에 니스를 칠한 나무 명패가 붙어있지 않았더라면 사람이 살고 있지 않은 집이라 여겼을 것이다. 가을이 시작되려 하는지 새벽의 공기는 제법 서늘했다. 바다의 측면에서 불어오는 바람이 매서워 여름과 겨울 중 굳이 고르라면 겨울에 가까운 날씨같이 느껴졌다. 안은 방파제 쪽으로 걸었다. 어지럽게 쌓인 테트라포드 아래로 파도가 너울 쳤다. 파도가 부딪치는 소리에 섞여 부 씨의 발걸음 소리가 다가왔다.

— 당신에게 백은 어떤 사람이었나요?

안이 충동적으로 물었다.

— 백은, 부표 같은 사람이죠.

여러 겹의 파도 속에서 안은 부 씨의 목소리를 찾았다. 파도에 섞인 소리가 아득하게 희미했지만 안은 부 씨가 여느 때와 같이 웃고 있으리라 생각했다.

지구의 단면 같은 수평선 너머로 붉은 점처럼 해가 뜨기 시작했다. 살면서 언젠가 여러 번 보았을 특별한 것 없는 풍경이었다. 해가 수평선과 접선을 그을 때까지 지켜보다가 몸을 돌렸다. 안의 뒤에서 해가 아닌 안을 바라보고 있던 것 같은 부 씨와 눈이 마주쳤다. 부 씨가 아무 말도 하지 않아서 안도 말을 꺼내려 노력하지 않았다. 부 씨는 운전을 못 했기 때문에 왕복 여섯 시간이 넘는 길을 잠깐 쉬고 운전해 돌아오는 길에는 눈이 자꾸 감기려 했다. 안은 집에 돌아오자마자 침대 앞에 옷을 허물처럼 벗고 쓰러지듯 잠이 들었다.

외출한 부 씨는 늦도록 돌아오지 않았다. 안은 아침에 남긴 밥과 찌개를 덜어 먹었다. 혹시 몰라 한사람 몫을 조금 남겨 두었다. 백이 앉았었고 부 씨가 앉던 리클라이너 소파에 앉아 두 사람이 섬세하게 차를 내리던 모습을 떠올리면서 찻잎을 우렸다. 다기를 손으로 감싸 천천히 흔들어 냄새를 맡았다. 초봄에 처음 수확한 어린잎을 가마솥에 덖어내 만들었다는 차는 향은 좋지만 끝맛이 약간 떫었다. 차를 마신 안은 빨래를 세탁기에 넣었다. 빨래가 돌아가는 동안 트레이닝복 바지를 갈아입고 밖으로 나왔다. 백과 걷던 길로 한 바퀴에 이십 분씩, 공원을 세 바퀴쯤 걸을 것이다. 산책을 하고 돌아와서는 따뜻한 물로 샤워를 할 것이다. 그리고 건조기에 돌려 둔 새 잠옷으로 갈아입고 자리에 누울 것이다. 어쩐지 다시는 부 씨를 보지 못할 것이라는 예감이 들었다.

작가의 말 | 조예은

오랫동안 빨지 않은 낡은 샤워 가운은 늙은 개같이 부드럽고 구질하다. —— 남향의 창 너머로 들어오는 볕을 종일 받아 색이 바랜 것 같기도 하다. —— 본래는 흰색이었을 삼십 수의 두툼한 직물은 아무것도 들지 않아도 조금은 부피감이 있다. —— 나는 알맹이가 사라진 껍데기를 끌어안는다. —— 빛과 온기에 덥혀진 가운에는 아직도 희미하게 냄새가 남아있다. —— 개들은 집안에 남아있는 주인의 냄새가 사라지는 것으로 주인의 부재를 체감한다고 한다. —— 나는 샤워가운에 코를 박고 숨을 힘껏 들이쉰다.

(-) 나는 그날 백을 기다리며 병원 후문 화단 앞 돌 위에 앉아 있었다. 모든 것이 분주하게 돌아가던 병원 안과 다른 한적함이 낯설었다.

노인을 발견한 것은 봄의 문턱 한낮의 햇살을 받아 따끈했던 돌에서 시린 냉기가 올라올 때쯤이었다. 낡은 누빔 점퍼에 검은색 백팩을 바투 맨 노인은 지나가는 사람들을 붙잡고 뭔가를 물었지만 아무에게서도 원하는 대답을 듣지 못한 것 같았다.

나는 충동적으로 노인에게 말을 걸었다. 기다림 외에는 아무것도 하지 않고 앉아 있는 것이 괴로워서였던 것 같기도 하다. 노인은 힘들게 병원에 왔는데 예약이 되어 있지 않다는 말을 들었다고 했다. 종종거리는 그녀가 안 돼 보여 노인을 데리고 병원 안으로 들어가 이곳저곳을 돌았다. 무지한 노인과 사무적인 직원들이 짜증스럽게 느껴질 만큼 소득 없이 시간이 흐르고, 나는 백이 언제 내려올지 몰라 초조해했다.

결국 아무것도 해결하지 못하고 다른 날로 다시 예약을 잡았다. 그래도 연신 고맙다고 인사한 노인은 가방에서 사분의 일로 접힌 만 원짜리 한 장을 꺼내어 내 손에 쥐여 주려고 했다. 사람들로 가득한 병원 한복판에 노인과 한참 민망한 실랑이를 벌이고 나서, 나는 그럼 백이 오늘 죽었으니 백을 위해 기도해 달라고 했다.

그녀는 잠시 말을 잃고 멍한 얼굴이 되었다가, 이윽고 사랑하는 사람의 시신이 운구되어 내려오기를 기다리는 사람 같은 얼굴이 되었다. 그녀의 아들도 이 병원에서 병으로 죽었다고 했다. 이제는 식당에서 소일거리도 하고 열심히 살고 있는데 손자가 똑같은 증상을 보여 걱정이 이만저만이 아니라고 했다. 두렵고 슬픈 얼굴로 스스로에게 하는 말처럼, 사람은 다 왔던 곳으로 돌아가 만나니 너무 슬퍼하지 말라고 웃었다.

그리고는 내 손을 잡고 기도하기 시작했다. 눈을 아주 꽉 감고 미간을 한껏 찌푸리고, 강에서 이어진 수많은 개천들처럼 굵게 팬 고랑 같은 주름을 따라 잔주름으로 온 얼굴을 적시면서, 입술이 소리 없이 빠르게 움직였다.

나는 그녀가 누군지 모른다. 얼굴도 기억나지 않을 평범한 그녀와의 만남이 작위적이리만치 이상했다고 생각했을 뿐이었다. 어색한 포옹과 인사를 나누고 돌아가는 길 무심

코 뒤를 돌았을 때 여전히 나를 바라보고 있는 그녀를 발견하고 서둘러 자리를 떠났다. 그 뒤에는 그녀를 다시 보지 못했다.

(-) 나는 이제 밥을 잘 챙겨 먹고 아침 일찍 지하철을 타고 회사도 잘 나간다. 동료들과 가벼운 농담을 주고받으며 내 몫의 일을 하고 집을 깨끗하게 청소하고 가끔은 친구들을 만나 즐거운 시간을 보내기도 한다.

그러다가 문득 내가 이렇게 다시 '잘' 지낼 수 있는 것에는 이런 사람들을 만나게 해주셨기 때문이라는 생각이 들었다.

망망대해 같은 깊은 바다에 빠져본 적 있는 사람들, 존재를 이루는 어느 한 조각이 떨어져 나가고 구겨진 사람들, 끝이 있다는 것을 알고 하루를 담담히 살아가려고 애쓰는 사람들, 연약한 서로에게 부표 같은 사람들. 그때의 나와 백과 부표들을 떠올리며 글을 썼다. 상실과 부재는 누구에게나 빠짐없이 일어나는 일이지만 누구에게나 잔인하게 특별하기에 안과 백의 구체적인 이름도, 관계도 드러나지 않기를 바랐다. 글을 쓰는 동안 스스로 위로받을 수 있었고, 이 글이 다시 누군가에게 조금의 위로가 될 수 있기를 바란다.

(+) 물론 지금도 가끔, 아 맞다, 백이 없지, 하고 깜짝 놀라 순식간에 슬퍼진다. 그럴 때면 깨끗하게 잘 빨아 말린 샤워가운을 입고 백의 자리에 앉아 차를 마신다. 백이 나에게 주고 간 모든 좋은 것들을 헤아려본다. 나에게 부표이자 닻이었던 백과 내가 만났던 부표들을 생각한다.

에필로그

표지 이야기 | 디자이너 박다솔

'아, 이거 그림으로 그려보고 싶다.'

가끔 어떤 인상적인 대상이나 장면을 보면 이런 생각이 들 때가 있습니다. 사진을 찍거나 글로 써서 기록을 남길 수도 있지만, 어떤 날은 굳이 스케치북과 연필과 물감을 꺼내어 꽤 품이 드는 일을 하고 싶어집니다.

그리려는 대상과 어울릴만한 재료, 색깔이 무엇일지 고심하여 칠을 한다는 것. 집요한 시선으로 대상과 종이 위를 끊임없이 오가며 관찰한다는 것. 기억 속에서 스쳐 지나가도록 내버려두지 않고 오래 기억하기 위한 방법입니다.

『너울들』의 디자인 의뢰를 받고 원고를 모두 읽어보았을 때 바로 그런 마음이 들었습니다. 명확한 실체 없이 환상과 뒤섞인 이야기였지만 어쩐지 제 속에서는 뚜렷한 이미지가 떠올랐습니다. 새빨갛게 타오른 노을이 일렁이는 수면을, 모래사장을 물들이고 있는 풍경이었습니다. 태양을 맨눈으로 바라보면 곧바로 눈앞에 하얀 잔상이 남는 것처럼, 마음 속에 남은 그리움의 잔상을 표지에 담아보려 했습니다.

「메타 라이프」의 '세나', 「비행몽」의 '나', 「부표들」의 '안'은 모두 폭풍이 휘몰아치고 있는 내면을 꾹 눌러 담고 있는 사람들로 보였습니다. 일상을 살아가면서 저마다의 방식으로 스스로를 달래려 애쓰고 있는 심정이 느껴졌고, 이들의 고된 마음을 감싸주고 싶었습니다. 어서 너울이 흘러가고 잔잔한 물결이 되어 그들에게 평온한 아침이 찾아올 수 있었으면 좋겠습니다.

『너울들』에 함께할 수 있도록 제안해 주신 제이님을 더불어 저에게 따스한 영감을 주신 작가님들께도 감사의 마음을 전합니다.

Instagram | 솔그림 @pine_grim

네 번째 이야기 | 기획자 이제이

표지 이야기에 한 마디를 보태며, 마지막 페이지에 이르른 독자분들을 배웅하려 합니다.

우리 주인공들은 상실에서 시작해 환상을 지나 현실에 발붙이게 됩니다. 그 여정이 너울의 동심원을 따라 흐르는 느낌, 이 물결의 끝에 맑고 밝은 뭍이 기다리고 있을 것 같은 예감. 세 가지 시안 중, 고심 끝에 이 버전을 택한 이유는 거기에 있었습니다. 너울의 동심원이 마치 나이테처럼 남아 있습니다. 상실이 남긴 흔적을 간직한 채 나아가는 주인공들이 그 모습과 닮았기에, 바로 손이 간 것 같아요.

표지를 제작한 디자이너 다솔 님 또한 창작 클럽 '글 쓰는 목요일'의 멤버로 인연을 맺었습니다. 소설을 써본 사람이 만든 표지에는 글과 교감한 흔적이 분명하게 보입니다. 함께 글을 만들었던 사람과 이미지를 만드는 작업은 무척 특별하고 소중했습니다.

너울의 형상을 포착한 이 이미지는, 원고와 컨셉만 공유한 후 큰 디렉션 없이 다솔 님의 아이디어로 만들어낸 결과물입니다. 세 개의 세계를 묶어 새로운 세계를 제작해 주셨지요. 그래서 저는 이 소설집에 네 개의 창작물이 실려 있다고 말하고 싶습니다.

표지에 작가 이름이 세로로 배치되어 있습니다. 이것이 제게는 마치 문 손잡이처럼 보입니다. 독자분들이 소설 속으로 문을 열고 잘 들어오셨을까, 궁금해집니다. 그리고 어떤 마음으로 이제 문을 닫고 나갈까 그 또한 궁금합니다. 너울의 끝자락에서 주인공 모두가 단단한 뭍을 찾았듯 여러분도 이 이야기의 끝에서 좋은 것을 만나셨길. 읽어주셔서 감사합니다.

기획자의 다른 이야기가
궁금하다면 연결해 보세요

너울들

발 행 | 2024년 7월 22일
저 자 | 이제이 안도현 조예은
펴낸이 | 한건희
기 획 | 이제이
디자인 | 박다솔
펴낸곳 | 주식회사 부크크
출판사등록 | 2014.07.15.(제2014-16호)
주 소 | 서울특별시 금천구 가산디지털1로 119 SK트윈타워 A동 305호
전 화 | 1670-8316
이메일 | info@bookk.co.kr

ISBN | 979-11-410-9641-0

www.bookk.co.kr